La nuit, tous les singes sont gris

Du même auteur:

Et puis tout est silence, 1959, roman

La corde au cou, 1960, roman
(Prix du Cercle du livre de France)

Délivrez-nous du mal, 1961, roman

Le veau dort, 1963, théâtre
(Prix du Dominion Drama Festival)

Ethel et le terroriste, 1964, roman
(Prix France-Québec)

Blues pour un homme averti, 1964, théâtre

Pleure pas Germaine, 1965, roman

Les cœurs empaillés, 1967, nouvelles

Rimbaud mon beau salaud, 1969, récit

Un chemin de croix dans le métro, 1970, téléfilm
(Prix Wilderness-Anik)

La petite patrie, 1972, récit
(Prix des lecteurs, *Dimanche-Matin*)

Pointe-Calumet boogie-woogie, 1973, récit

Revoir Ethel, 1976, roman

La sablière, Mario, 1980, roman
(Prix France-Canada)
(Prix littéraire Duvernay de la SSJE)

L'armoire du Pantragruel, 1981, roman

Le crucifié du sommet Bleu, 1985, roman

Une duchesse à Ogunquit, 1986, roman

Alice vous fait dire bonsoir, 1989, roman

La vie suspendue, 1994, roman

Un été trop court, 1995, journal

Pâques à Miami, 1996, roman

SUSPENSE

La nuit, tous les singes sont gris

CLAUDE JASMIN

Les **Éditions**
Québecor

Données de catalogage avant publication (Canada)

Jasmin, Claude, 1930 –

    La nuit, tous les singes sont gris

    ISBN   2-7640-0091-X

    I. Titre.

    PS8519.A85N84 1996   C843'.54   C96-940660-6
    PS9519.A85N84 1996
    PQ3919.2.J37N84 1996

Ce livre a été réalisé grâce à la collaboration de la
Société de développement des entreprises culturelles (SODEC).

LES ÉDITIONS QUEBECOR
7, chemin Bates
Bureau 100
Outremont (Québec)
H2V 1A6
Tél.: (514) 270-1746

© 1996, Les Éditions Quebecor et Claude Jasmin
Dépôt légal, 3ᵉ trimestre 1996

Bibliothèque nationale du Québec
Bibliothèque nationale du Canada
ISBN: 2-7640-0091-X

Éditeur: Jacques Simard
Coordonnatrice à la production: Dianne Rioux
Conception de la page couverture: Bernard Langlois
Photo de la page couverture: P. Mastrovito/Réflexion Photothèque
Révision: Sylvie Massariol
Correction d'épreuves: Francine St-Jean
Impression: Imprimerie L'Éclaireur

«Le roman est la profanation
historique et psychologique des mythes.»

**Kundera citant Mann
dans *Les testaments trahis***

1

C'est beau, que c'est beau une ville la nuit! Pas toujours? Pas pour tout le monde. Ainsi pour le juge Brault. Sa dernière nuit. On va le retrouver bientôt. Dépecé. Démembré. On a découpé ses deux jambes, ses deux bras, on les a cloués, ces morceaux de juge, sur deux madriers. Vraie croix de Saint-André. On a installé cette croix écœurante au pied d'une autre croix: la grande croix illuminée sur le mont Royal. Drôle de crucifixion! Dans un sac vert à ordures, on a mis le torse et la tête. Dans la bouche de cette tête coupée, on a fourré son pénis tranché. Manière mafia, façon pègre?

Pour le reste, oui, ça peut être jolie, la nuit, une ville. On peut voir, par exemple, André Dastous[1], illuminé, amant de la nature, des animaux, qui se promène derrière l'université à quatre heures du matin. C'est son

---

[1] Héros de *Délivrez-nous du mal*.

heure. L'heure de promener ses bêtes. Les bêtes des savants. Des animaux des laboratoires de l'université. Ceux qui vont servir, un après l'autre, aux expériences des chercheurs, à celles de Han Salié, de Nicolas Furlu et de tant d'autres brillants cerveaux. André est gardien de nuit, section sciences, département des labos, division de la recherche de pointe. Dastous a trouvé des tas de trucs pour soulager un peu l'effrayante existence de ces pauvres petites bêtes condamnées. Il a inventé une étrange laisse à plusieurs courroies, élastiques par bouts, et il peut emmener, en promenade de nuit sur le mont Royal, sa douzaine de petits singes de type rhésus. Une invention brillante. Noctambules, insomniaques ou rôdeurs peuvent le voir promener aussi des rats blancs. Ils vont et courent en tous sens, mais ils sont emprisonnés dans un immense filet qu'André contrôle au bout d'une souple et longue tige; même chose pour ses hamsters, ses lapins, ses mulots.

Cette nuit-là, André au grand cœur, la larme à l'œil, fait prendre l'air de la nuit à des ratons laveurs qui vont mourir dès demain. On en a fini avec eux. Ils ont des boutons rouges sur tout le corps, sont aveugles et boitent. Des quatre pattes. C'est pour l'avancement de la science. Pour le progrès humain.

André, loyal gardien du zoo des scientifiques, soulage comme il peut tous ces pelotons de cobayes. Mais il y a tout le reste. La nuit, la ville fait sa folle. Partout, des cabarets, des discothèques et plein de jeunes gens qui se font des illusions, qui vivent leurs fantasmes puérils, qui abordent des rêves, amorcent des songes creux. Ici et là, des fêtards tentent de se dégriser dans des gargotes diverses. Il y a longtemps que minuit a sonné. Il y a cette partie de la nuit où il y a moins de monde, moins de traînards, il y a ces heures de la nuit avant l'aube, quand les vagabonds ont fini par s'endormir dans des cachettes malodorantes. Il y a ces fins de nuit quand Dastous promène ses rats et ses singes. Quand Gilles Bédard[2] entraîne ses miliciens.

Bédard est plutôt fêlé. Il a reçu des coups durs. Il revient de loin. On a beaucoup jasé sur lui, beaucoup imprimé un temps. Il a été un fameux pilier de taverne. Il a bu une mer de houblon dans sa jeunesse et aussi dans sa maturité. Gilles Bédard se cachait. De tous et même et surtout de lui. Il fuyait. Il se sauvait de tous ses débiteurs. Il s'est toujours sauvé. Avec sa famille. Avec ses deux garçons, aujourd'hui disparus, installés il ne sait trop où. Il fuyait déjà il y a longtemps, jeune papa, avec sa belle Germaine et ses filles. Jusqu'en Gaspésie. Chaque fois, il avait voulu se reprendre, se redresser, changer de vie. Cesser l'ivrognerie. Toujours rempli de bonnes intentions, de grandes promesses... Germaine l'aimait son rêveur, son fou, son mal aimé, son mal élevé, son mal parti. Elle pardonnait. Donc un jour, il est allé se réfugier dans la Gaspésie de sa Germaine qu'il aimait tant. Et ça n'a pas marché, alors il s'est remis à boire là aussi. Beaucoup. À faire honte aux siens. À provoquer un accident horrible. Noyades de touristes. Soûl comme un cochon sur sa barque pas payée et mal réparée. Gilles s'en voulait tant qu'il s'est remis à boire plus que jamais. Revenu en ville, nouveaux petits jobs insignifiants et, un soir, tard, pendant qu'il gueulait et bavait dans une brasserie clandestine, on assassinait sa belle Germaine. Deux voyous, deux drogués, deux jeunes déjetés. Pour un sac à main, pour trente piastres, trente pauvres petites tomates que Germaine venait de gagner au bingo de la rue Papineau en face du Théâtre des Variétés. Un sale meurtre.

Gilles a voulu jouer le justicier. Il n'a jamais eu confiance dans la police. Enragé, il a fouillé les trous, les poubelles à punks, les ghettos pour seringués, il a frappé,

---

[2] Héros de *Pleure pas Germaine*.

11

à l'aveugle. À gauche, à droite. Il a fini par casser des gueules, puis des os et par faire des infirmes. Police. Prison pour tentatives de meurtres. Il a purgé sa peine. Il est sorti. Un ex-camarade du pénitencier lui a parlé de son oncle, le général Proulx, Eddy Proulx, un militaire énervé. Un haut gradé. Un révolté qui se retient de frapper, qui hait la jeunesse, la société actuelle, les écoles actuelles, les politiciens, la folie des mœurs modernes. Qui déteste les familles molles, trop faibles, permissives jusqu'au laxisme, les us et coutumes des temps modernes. Cet ex-compagnon de cellule avait dit à Bédard: «Tu parles comme mon oncle Eddy. Va le voir. Il va adorer t'écouter râler contre les émigrants, les assistés sociaux, les homosexuels, les drogués, les nègres trop gâtés et quoi encore, et il va te trouver un job. Il a le bras long.»

Bédard, en effet, s'est trouvé un job. Il est gardien de nuit à la caserne militaire, au 4185 du chemin de la Côte-des-Neiges, juste au coin du chemin Remembrance. Gilles Bédard, veuf éploré, tombait dans le temple de l'ordre et de la discipline. À se croire lui-même soldat, il s'est acheté un vieil uniforme et il collectionne les médailles. Il mime les habitants du lieu. Il souhaite le service militaire obligatoire pour tout le monde. Pour tous ces jeunes débraillés, toute cette jeunesse déboussolée qu'il vomit depuis que deux jeunes drogués, un soir, lui ont enlevé sa Germaine. À jamais.

Longtemps après minuit, trois fois par semaine, il va déverrouiller la porte de sa caserne. Quelques jeunes garçons s'amènent. En secret. En cachette. Gilles Bédard, conseillé par Eddy Proulx, les entraîne. À ses frais. Une bonne part de son salaire y passe. Il ne mange pas à sa faim. Pas grave. Il rêve. Un jour, sa petite troupe d'élite sera installée au pouvoir et ils vont enfin corriger l'état de cette société pourrie. Le général Proulx le lui a promis. Bédard a une fêlure au cerveau depuis la mort de Germaine. C'est qu'il l'aimait comme un fou, sa

Germaine. La nuit avant l'aube, on peut donc voir quelques jeunes rêveurs déments qui s'entraînent aux ordres de Gilles Bédard qu'ils appellent «mon colonel».

C'est certain qu'il y a des fous dans les grandes villes. De jour et de nuit. Il y a aussi des sages. Et des amoureux. Et des vieux grands-pères sereins. Il y a de tout dans une métropole. Il y a des enragés aussi. Comme ceux qui ont découpé le juge Brault. Qui ont organisé cette crucifixion insolite, croix sur croix au sommet du mont Royal. Dans son bureau, quand le détective Asselin[3], le fameux limier, verra la photo du magistrat crucifié tout nu, lui qui en a tant vu, c'est sûr qu'il va sursauter. Son deuxième crucifié en carrière! La première fois, c'était le cadavre d'un jeune sur la croix du sommet Bleu à Sainte-Adèle. Il y a de cela bien des années. Son enquête n'avait pas traîné. Mais cette fois... Cette fois, Asselin n'est pas sorti du bois. Du bois de certains sentiers sur le mont Royal.

Une putain, témoin mou, parlera d'une silhouette, semblable à celle de monsieur-le-juge, d'une voiture, une Buick. Blanche? Elle dira aux policiers qui questionnent toute la faune de *main street*: «Oui, blanche. Une Buick. Je le sais, j'ai un beau-frère qui en a une semblable.» On insiste «Sûre? Certaine?» Elle va jurer en crachant sa gomme baloune sur le trottoir très sale. Très encombrée de détritus la *main*, près de Maisonneuve, depuis que sévit de nouveau une grève des cols bleus de la Ville. Alors, ça déboule: «Qui est monté à bord?» On la brasse un peu, c'est qu'elle hésite à parler. On finit par savoir que le dernier monté dans la Buick blanche du juge Brault est un «commercial» connu du milieu de la prostitution. Beau garçon, amateur fou de cinéma et de théâtre, drogué le plus souvent. Un prostitué au tempérament bizarre. Romantique à sa façon.

---

[3] Héros du *Crucifié du sommet Bleu*.

Comment expliquer le tronçonnage? Il faut être à plusieurs pour couper, scier les os, clouer les parties, rassembler les deux madriers, fixer la croix à celle du mont Royal. «Le commercial, il appartient à une bande?» La putain maigrichonne ne sait pas, ne dit plus rien. Hausse les épaules. «On n'a pas fini de chercher» se dit Charles Asselin.

La nuit, il y a aussi des poètes. Des vrais. Donc des inconnus. Ils sortent. Sans but. Pour marcher dans le noir. Pour trouver. Ils ne savent pas même quoi. Peut-être le sens caché des planètes qui tournent, des étoiles qui se brûlent? Il y a le silence. Longtemps après minuit, c'est vraiment le silence. Les poètes et les musiciens marchent dans la nuit. Parce que c'est beau. Il y a de si jolis clignotants dans le firmament et il y a des chats drôles, des minous laids comme tout. De si belles filles intimidées qui se dépêchent en regardant seulement le bout de leurs souliers. Il y a des odeurs rares, l'été, la nuit. Des bruits curieux. Certains objets qui tombent d'on ne sait jamais où exactement, de petites musiques, lointaines, faiblardes, chevrotantes parfois. Des freins subitement. Un cri très bref. Une fenêtre qu'on claque. Un cri. Des rires. Des pleurs. Une ancienne chanson. Un souvenir. Celui de sa mère. Morte il y a si longtemps. La couleur délavée d'un néon usé. Oui, la nuit, les grands rêveurs fuient leur lit. Et on sait bien qu'il y aura toujours des hommes qui ne dormiront jamais la nuit, ils pensent à une femme qu'ils ont aimée. Et trop chantée, cher Michel Sardou.

Comme Bédard qui n'oubliera jamais sa belle Germaine, la Gaspésienne. Pauvre Gilles qui espère nettoyer toute la racaille de sa ville et faire pendre deux jeunes drogués qui, pour trente tomates, lui ont enlevé sa belle rougette pour le reste de ses jours. À la caserne, la nuit, il gueule des ordres, il fait des sermons, il crie des slogans. Il joue à l'apprenti dictateur. Il n'est plus l'ex-biberon, l'ivrogne pauvre de la rue Drolet, il n'est plus l'ancien rat de taverne que les policiers ramassaient dans le caniveau si souvent. Il est devenu l'entraîneur infatigable dans cette caserne militaire sur le mont Royal dont il est l'étrange concierge.

Bédard fait peur la nuit. Bédard est métamorphosé, la nuit. Il est colonel, la nuit. Il rôde sur le mont Royal quand c'est congé de milice, il marche dans les bois et il croise parfois ce personnage incroyable qu'il connaît, qui promène non pas ses chiens mais des rats blancs ou des singes. Parfois des ratons laveurs comme ceux qui renversent les poubelles des bourgeois furieux à Westmount et à Outremont, tout autour du mont Royal.

Et puis, il y a des gens innocents. La nuit et le jour dans une grande ville. Il y a des candides, gens heureux de rien. D'une petite brise quand ils vont vers leur autobus du matin avec leur lunch du midi dans un petit sac. Il y a des filles bien braves, maquillées et coiffées joliment, qui vont au boulot sans se poser de questions. Un jour, elles rencontreront un gars fiable. Un beau garçon avec des yeux doux, de belles lèvres. Il y en a. Ça existe des jeunes gens de bonne famille. C'est plus rare que dans les anciens temps, mais ça existe. Enfin, il y a des femmes de ménage. Elles partent à l'aube, du fond de l'est ou du fond de l'ouest de Rivière-des-Prairies, ou bien de Verdun, elles s'amènent vers le centre-ville, vers le mont Royal, où un monsieur-le-juge peut être découvert, coupé en six, pendu sur deux madriers, accroché à la croix du mont Royal, le pénis entre les dents. Il y a Maria.

Maria est encore jeune et elle est belle. Elle a appris de sa mère à bien laver les vitres des fenêtres. À bien faire reluire un plancher, à nettoyer des bibelots de grand prix sans jamais en casser un seul. À faire mieux que les autres. Plus que les autres: accepter un peu de repassage, nettoyer des chaudrons qui traînent chez ces gens riches et si occupés, à Westmount, à Outremont-en-haut.

Maria a du cœur. Un jour, elle aussi, un gars bien... Il en reste? Elle vieillit. Trop vite à son goût. Mère veuve, avec trop d'enfants. Il a fallu l'aider. Partager ses tâches. Et puis, la cadette de Maria a eu treize ans et voilà, elle peut à son tour «faire» la mère et ainsi, Maria peut partir à son tour, vers certains clients de maman. Apprendre d'abord à bien faire partout et puis cette mère qui la présente, qui l'installe. Maria aura ses propres clients et sa tournée à elle: les lundis, trois maisons chemin Sainte-Catherine et boulevard du Mont-Royal, les mardis, trois logis à LaSalle, au bord des rapides. Les mercredis: l'immense manoir de Westmount, rue Saint-Antoine, chez le sénateur Barbot. Les jeudis à Ville Mont-Royal, chemin Rockland, avenue Hartford, rue Wellcot. Vendredi, chez des juifs millionnaires de Hampstead et de Côte-Saint-Luc.

Maria a le cœur grand comme l'univers. Elle aime les gens. Elle aime sa ville, elle aime ses sœurs et son frère, elle adore sa mère, elle aime Notre-Dame-de-Fatima, elle aime le pape, elle aime les tartes et les gâteaux. Elle aime les enfants; elle dit qu'elle aurait aimé enseigner. Elle aime les vieillards; elle dit qu'elle aurait aimé devenir infirmière. Elle aime les animaux: un oiseau chante à Outremont ou chez elle, à Verdun, avenue Rielle et elle écoute, elle en a des larmes aux yeux. Elle aimerait voir l'illuminé André Dastous avec ses rats condamnés, en laisse, ses singes à l'agonie, les ratons laveurs en sursis, bref, les promenades nocturnes du gardien de nuit des labos de l'université de Montréal la feraient s'attendrir, c'est certain.

Elle plaint les infirmes, son cœur saigne à la vue des handicapés, des quêteurs d'un coin de rue. Elle, pauvre, donne toujours. Elle sourit. Elle sourit simplement à la vue d'un mendiant ou d'un enfant qui pleure, elle sourit mais elle voudrait faire mieux, prendre le monde entier avec elle, le monde des souffrants. Elle en rêve: être riche, posséder des châteaux, des manoirs comme ceux qu'elle va nettoyer, et y rassembler tous les gueux de la ville, les enfants mal soignés, les malades du sida, les perdus de l'âme, les fous, les misérables. Ah oui! être une sorte de providence. Elle rêve quand elle attend le bus pour grimper vers le centre-ville, vers le mont Royal et ses demeures cossues. Elle déteste le métro. Claustrophobie.

Ce matin, boulevard du Mont-Royal. Le ménage annuel se poursuit chez les DeSereau. Pas loin, il y a eu, il y a très peu de temps, avenue McCulloch, des gens sordides qui, dans le bois, coupaient un juge en morceaux pour le clouer sur deux madriers. La nuit, c'est beau, et parfois, c'est sinistre, horrible. Maria le sait mais n'y pense pas.

À l'ouest du mont Royal donc, il y a André le fou. André au grand cœur, André qui est scandalisé d'apprendre que les autorités ferment les yeux et laissent une escouade spéciale faire la chasse frénétique aux ratons laveurs du mont Royal. On les piège facilement. Nourriture succulente et hop! en route pour les laboratoires du chercheur Allan Stankévicius, du chercheur Basil Beznoudrof de l'université. André a entendu qu'il fallait ralentir. Que bientôt il n'en resterait plus un seul de ces mignons *raccoons*. Il a entendu un patron dire que les proprios de Westmount et d'Outremont sont bien débarrassés, soulagés, heureux et applaudisseurs de ces razzias. Que c'était un fléau, ces bêtes faisant des dégâts dans les beaux parterres de ces gens chaque veille de collectes d'ordures, surtout l'hiver.

André est un raté. Il le sait. Il a tout raté. Il aurait pu devenir quelqu'un. S'instruire. Il n'a pas su. Pas de caractère. «Trop sensuel» répétait sa maman quand elle allait le voir en prison. Il a déjà tué, lui aussi. C'était il y a bien longtemps. Des décennies. Il était amoureux fou. D'un certain Langis, beau jeune homme insouciant exilé du

17

Saguenay. Il l'admirait, il l'imitait. Il essayait de lui ressembler sans cesse. C'était son modèle. Il allait avoir trente ans et il n'était qu'un éternel étudiant, incapable de se brancher, toucher à tout. Un peu de philo. Du droit, de la publicité, de la sociologie, de la psychologie. André n'avait d'intérêt à rien au fond. À personne d'autre qu'à son cher Langis. Quand ce dernier, harassé par cette teigne, fatigué de ce pot de colle riche mais tellement velléitaire, l'abandonna pour aller à un mariage de raison plein d'argent, l'héritière Stewart, André l'a défenestré dans son chic appartement de l'avenue des Pins. Procès et prison.

Très longtemps. Bien plus longtemps que Bédard, le «colonel». À sa sortie, des amis de «maman» – elle est de haute classe – lui trouvèrent ce job de gardien de nuit à l'université. Maman vieillissait, avenue Woodbury, pas loin, et pouvait avoir à l'œil son grand dadais, son malheureux petit André dont on avait tant abusé partout, tout le monde, surtout cet ingrat de Langis.

À l'ouest, il y avait donc André et ses nuits de promenades à l'insu des méchants «docteurs». Au sud du même mont Royal, Bédard et ses entraînements nocturnes, le «colonel» timbré qui hurlait des ordres à quelques jeunes illuminés. Et à l'est du mont Royal? Il y avait Léo! Le terrifiant Léo Longpré[4]. Troisième mousquetaire de cette drôle de faune!

Si Maria savait. Léo la voit passer parfois. Tous les lundis, Maria va faire sa petite promenade de l'autre côté du boulevard, presque en face de la belle demeure des DeSereau. Il y a un sentier, et l'été il y a des senteurs rares, des odeurs de fleurs sauvages. Parfois, Maria fait un petit bouquet et ramène ses fleurs pour un vase chez

---

[4] Héros de *La Corde au cou* et de *Blues pour un homme averti*.

18

les DeSereau. Il la voit. Il la regarde. Il l'observe qui se penche, qui montre ses jolies cuisses, qui se redresse, qui sourit à la nature dans sa solitude, qui hume les fleurs coupées. Léo l'observe et il a le cœur qui bat. Il doit rester à l'écart. Il doit rester ce qu'il est. Un monstre dans son terrier. Un troglodyte. Un clandestin dans une caverne. N'a-t-il pas organisé sa mort, il n'y a pas si longtemps? Il a pu voir son nom dans le journal. Disparu. Un suicide, un autre jamais élucidé. Un corps, le sien, qu'on n'a jamais retrouvé.

C'était un jour de printemps. Il venait de sortir d'une clinique de réadaptation. Un terrible accident. On pourrait demander à André. Il connaît toute l'histoire. Celle de Léo est bien longue. On va la raccourcir ici. Sorti du pénitencier, très instruit, diplômé, Léo avait obtenu une bourse importante. Il était si brillant! Il est allé se spécialiser à Budapest. C'est loin, oui. Il devait collaborer avec un autre brillant chercheur, un certain Pavel Malik, originaire de Prague. Le père de ce Pavel meurt. Sortie du pays tchèque et exil chez sa mère veuve. La Hongrie, Budapest donc. Pavel Malik allait découvrir un formidable procédé: élimination de la graisse des animaux de consommation: porcs, bœufs, vaches, etc. Léo collabore à toutes les données de la recette faramineuse. Mais Malik, amoureux, cocu, tue son rival. Oui, un crime passionnel banal au fond. Procès et prison. Alors Léo revient au pays. Seul mais avec l'invention géniale. Était-ce vraiment un vol, il y avait travaillé? Immense subvention de la Canadian Packering à l'université. L'institution saute là-dessus en ces temps de restrictions budgétaires partout.

Léo devient le chouchou, le favori, le bichonné par qui arrive tout cet argent et obtient tout ce qu'il veut pour parfaire recherches et découvertes. Hélas, un jour, le cocu Malik surgit de Budapest. Une évasion classique. Une douche d'acide à ce «voleur» de Léo. L'horreur!

Difficile de trancher, en cette sorte de tandem à gros cerveaux, qui est le trouveur original. Pour une affaire de vaccin anti-sida, on le sait, ce fut toute une histoire entre les USA et la France. Pour Léo, gloire nationale, soutien précieux pour l'arrosage de subventions, ce sera la déclaration d'innocence. Mais Pavel Malik, remis dans sa geôle de Budapest, avait défiguré le jeune génie de trente ans. Léo avait reçu un bain mortel. La substance avait transformé son visage, calciné, en une sorte de pierre. Des collègues le surnommeront «tête de granit», des veines noires parcourant la peau de son crâne et de son visage. Les os s'étaient amincis et relevés, tant et si bien que le visage de Léo était une sorte de bol. Oui, un bol avec des rebords qui contenaient, salade hirsute, deux yeux exorbités, un nez qui n'était plus qu'une paire de trous noirs. La chair des lèvres elle aussi avait disparu, les dents, déchaussées, crochies, étaient devenues un étrange amas, sur deux rangées, des osselets épars. Bref, une tête à faire s'évanouir le plus dur des bourreaux. Aussi, Léo décida de vivre cacher et cacha sa face. Le faux suicide d'abord.

Quand il devait absolument sortir, de jour, il revêtait une sorte de sarrau et un masque d'apiculteur. De rares loustics l'avaient déjà vu, masqué de cette façon, rue Amherst, rue Sainte-Catherine, boulevard Saint-Laurent ou rue de Bleury. Une rumeur, récemment, avait publié: «L'apiculteur! Il est réapparu! Encore lui!»

Maria ne savait pas que Léo l'observait, elle ne pouvait pas savoir qu'il habitait un bunker, pas bien loin de chez les DeSereau. Il y avait, pas loin, derrière des grilles, clôture métallique noire, toutes ces tombes, celles des Juifs vers l'est, le vaste cimetière des protestants. Léo avait donc songé au suicide, il avait voulu disparaître après l'attaque fatale aux labos de l'université. Et puis, qui sait ce qui retient toujours à la vie, malgré tout, malgré un visage qui n'est plus qu'une hideur terrorisante. Eh oui, il s'était accroché! Il y avait entre le sentier au bout de l'avenue McCulloch et le boulevard, un mausolée abandonné. Léo s'y installa. Tout au fond de ce vieux cimetière juif, dans cette antique section, abandonnée, pleine d'herbes folles, déserte.

Tout ce premier printemps, il s'activa, taupe acharnée, à creuser son futur appartement. Sous le mausolée oublié, peu à peu, on aurait pu voir se creuser un corridor, une chambrette, une autre... Au bout de quelques semaines, nuit après nuit, mineur inlassable et discret, Léo s'était installé. Il savait comment faire pour tant de choses, il avait tant appris en prison. Il savait, par exemple, comment faire vite pour amener l'électricité d'un lampadaire des bords de la montagne vers son nouveau bizarre home. Il pratiqua aussi un système d'aération. Une cheminée serpentait sous terre jusqu'au-delà du chemin boisé. Il n'y avait qu'une loi: ne jamais sortir le jour.

Léo, «tête de granit», avec sa peau rougie, ses veines foncées, ce visage en forme de bol, n'existait pas. Il n'existait plus. D'abord, il y eut le très officiel suicide. Cette lettre d'adieu au monde dans son manteau abandonné sur le pont Jacques-Cartier. Ensuite, il n'y avait plus que sa cachette sacrée et sa perpétuelle clandestinité. Léo avait fini par s'attacher à cette vie de reclus, à cette existence de trappiste, de cloîtré volontaire. Il était devenu une sorte de bête, mais mieux que les bêtes. Il y avait sa grande intelligence, ses connaissances variées, et aussi des capacités instinctives qui se révélaient à lui sans cesse à mesure que les semaines et les mois passaient. Léo, revenu à une existence des débuts du monde, retrouvait des sens endormis comme si son cerveau reptilien se redéployait, un néo-troglodyte.

Il savait comment voler. Il emmenait par exemple, à sa cache souterraine du mont Royal, des tas de bouquins qu'il subtilisait avec habileté. Un animal rusé, oui. Une bête raffinée. Il savait aussi qu'il faudrait tuer si, un jour, quelqu'un, n'importe qui, homme, femme, enfant, découvrait ce monstre, ce yéti, cet abominable homme de caveau sous le mont Royal. Il le savait. Il y était prêt. Il n'aurait aucune hésitation, nulle compassion! C'était sa vie secrète ou la survivance de l'autre.

Aussi, Maria faisait bien de rester innocente, sans aucune méfiance, peu attentive aux alentours. Si, par hasard, elle pouvait voir l'apiculteur entrer ou sortir de sa tanière, elle serait morte. Elle serait tuée. Léo n'avait pas le droit d'être humain, pas là-dessus.

2

Est-ce pis encore? Ce matin, un jogger découvrait au pied du monument à Cartier, installés sur les lions de bronze, à l'ombre en somme du grand ange aux ailes déployées, quatre cadavres nus. Comme pour le juge Brault, pénis coupé et enfoncé dans la bouche de chacun. Avec une bombe de peinture rouge, une inscription – les policiers arrivés en trombe ont pu la lire – sur un trottoir: «Le mont Royal n'est pas Sodome!» Avant un juge, Brault, avant un jeune décorateur, un coiffeur célèbre et deux réalisateurs de télé. Il y a eu, dans la ville, bien d'autres crimes d'homosexuels. La caractéristique morbide pour ces cinq dernières victimes? Tranchage de l'organe génital. La police, bientôt, précisera: «avec machette, comme celle des coupeurs de canne à sucre». Certains ont vite fait de pointer du doigt des délinquants noirs. Un loustic, à un sondage de rue, déclare au reporter sans vergogne: «Les tueurs doivent habiter le ghetto haïtien de Montréal-Nord.»

Dans le Village gay, on songe à organiser un solide commando. «Trop, c'est trop», tempête un chef connu

23

d'une association de lesbiennes et d'homos. Une fois encore, ça répétera: «La police se grouille pas trop le cul, c'est pas des hétéros qui sont assassinés, n'est-ce pas?» Et l'inspecteur Asselin a vite compris qu'il avait affaire, non pas à un forcené, mais plutôt à un groupe organisé.

Ça n'a pas été long qu'on a désarçonné ces étranges cavaliers des lions de métal, que la ville a pu s'étirer comme à l'accoutumée et qu'il y a eu, comme chaque matin, la circulation furieuse dans l'avenue du Parc, et puis que le soleil de ce début de printemps a pu illuminer tout le grand parc Jeanne-Mance, en face, là où un petit garçon pleure comme un perdu d'avoir laissé échapper sa boule de crème glacée aux fraises sur le terrain de foot. Sa mère lui répète, en portugais, qu'il devra d'abord la boucler s'il veut qu'on retourne, avenue Mont-Royal, lui acheter une nouvelle glace. Un beau matin pour les vivants.

Maria ne sait rien des cadavres aux lions. Maria ne lit pas les journaux de toute façon. Elle dit qu'il y a les nouvelles à la télé et que c'est bien suffisant pour apprendre les horreurs du monde entier. Elle rêve beaucoup ces temps-ci. C'est fou. Elle se fait des idées, se dit, par exemple, qu'elle est propriétaire de cette grande maison cossue des DeSereau. Ils sont partis en Europe. Elle a la clé. Elle met de la musique à son goût à la radio, elle travaille à son rythme, suivant lentement tout un programme rédigé par madame la sénatrice. Le grand ménage du printemps, quoi! Aujourd'hui: le solarium et l'escalier sculpté qui conduit à l'étage, aux pièces vides. Un château-fantôme!

Maria fait à sa tête. Elle dit qu'elle prépare la maison pour l'amour. Ah, l'amour! Que l'amour ne tardera plus, elle ne veut pas rester seule, sans amour, plus longtemps. Elle rêve d'un homme parfait, jeune, riche, beau, en santé florissante et qui lui fera quelques enfants magnifiques... Maria se fait du café, s'installe sur la petite

24

terrasse d'en arrière. Elle voit la montagne de l'autre côté du boulevard. Elle voit les arbres du cimetière protestant déjà feuillus et qui grandissent comme à vue d'œil tellement le printemps de cette année est beau et chaud. Et elle n'a pas pu résister d'aller y faire un petit tour. La nature, elle ne s'explique pas bien pourquoi, a toujours eu sur elle un effet d'aimant terrible. Elle est vraiment bien, heureuse, à l'aise, complètement épanouie, quand elle marche dans un boisé arrosé de soleil.

Pendant qu'elle chantonne, pendant qu'elle sourit aux oiseaux invisibles mais aux chants si joyeux, il y a, pas loin, Léo. Le monstre l'observe. Lui aussi a ses rêves. Lui aussi, il aimerait bien sentir une peau de jeune femme douce, pouvoir toucher l'épiderme d'une jeune beauté. Il se souvient mal de tout cela: de l'affection, de l'amour, du bonheur d'être frôlé par la beauté féminine. Il a peur, il craint d'oublier bientôt, un jour, ce monde des sens qu'il ne fréquente plus. Il a envie de sortir de sa cachette et de parler à Maria.

Alors, il n'en peut plus et il va oser. Il revêt son sarrau couleur vert olive, il met son chapeau à voile. Il se déguise une fois de plus en apiculteur. Il regarde l'abeille de fil doré qui est brodée sur la poche de son uniforme, il prend le filet à papillon, sa chaudière et il sort de son caveau. Il marche vers le sentier, dans la montagne, prudemment, on dirait un fauve aux aguets. Mais qui caresse un lion? Qui caresse une bête sauvage? Il va tout doucement vers Maria qui a déjà une main remplie de minuscules fleurs sauvages.

Beaucoup plus loin, le colonel Bédard ronfle. Cette nuit, il a fait des colères. Ses miliciens lui semblent moins disciplinés. Il a fait une crise parce qu'il y avait encore quatre absents parmi ses meilleures recrues. Son élite. Ses meilleurs éléments. Les plus fidèles, les plus enthousiastes. Pendant que Léo cache sa tête de granit rose sous son chapeau à voile, le colonel dort profondément dans sa petite maison de la ruelle Saint-Christophe. Moins loin, avenue Woodbury, André Dastous, lui aussi, dort profondément, chez sa bonne maman, chez la veuve Dastous. Comme pour le colonel Bédard, le métier de gardien de nuit lui fait vivre la vie à l'envers, bien entendu. Léo, lui, n'a pas d'horaire. Le jour, il s'efforce de rester caché, certainement, mais il ne dort pas toujours. Le sommeil lui vient mal depuis quelque temps. Il lit trop? Il écrit trop? Il a trop de projets? Il est le penseur des miliciens du colonel. Il est celui qui instruit le colonel. Il a beaucoup d'ouvrage. Et c'est le troisième mousquetaire, André Dastous, qui note tout, qui rédige la philosophie de Léo, les principes du colonel pour son armée d'élite. André s'est nommé volontiers le secrétaire du mouvement et voit à la publication d'un bulletin confidentiel, fascicule clandestin dont Léo a trouvé le titre: *Temps Futur.* Le colonel n'est pas toujours d'accord avec les élucubrations de Léo, mais il ne dit rien. Il veut tant apprendre. Il veut sortir de sa condition d'ignare, il attend... le temps nouveau. Il est certain qu'il va venir, tôt ou tard. Léo sait tout et Bédard le respecte. Léo a tant lu. Il a tant voyagé, tant vécu. Il a vécu même à Budapest, on ne l'oublie pas, et Léo parle à Bédard de Vienne, de Berlin, de ses anciens amis à Liège, en Belgique, où il a fait un stage au temps des recherches subventionnées pour la Canadian Packering. Le colonel répète à André: «Léo c'est le cerveau. Je suis les bras.» Il l'admet volontiers mais, ça lui arrive, il pense qu'un bon jour, un bon soir, le Grand Jour, le Grand Soir, il lui faudra peut-être le mettre de côté, le jeter hors de cette voiture en marche. Le fabuleux véhicule de l'histoire nouvelle. Quand il y songe, le colonel en éprouve des frissons de plaisir. Il se voit grand manitou, chef suprême, maréchal d'un monde militarisé qui, enfin, pourra nettoyer cette ville, ce pays, des tares insupportables, des actualités qu'il vomit, de la décadence, d'un déclin odieux, de l'immoralité répandue, de la tolérance des tueurs-des-Germaine-sans-défense.

Maria n'a pas de ces rêves de mégalomane, elle. Oh non! Seulement, un jour, dénicher un beau jeune homme très correct, tendre, capable d'émois amoureux. Et voilà que tout près d'elle, ce matin, se trouve un homme fait, un homme seul, un homme si laid, qui se rapproche d'une beauté juvénile qui tient dans sa main un bouquet de petites fleurs sauvages. Maria vient de tomber! Et Léo a eu un petit cri. Un soupir rauque mal retenu. Elle s'est retournée. Elle a vu ce bonhomme masqué. Tout de suite, elle a cru à un de ces botanistes ou autre savant de la nature, car elle en a déjà vu de ces gens qui rôdent par ici, penchés, pliés, pressés, qui ramassent des herbes, des plantes quelconques qu'ils mettent soigneusement dans des cartables à anneaux.

— Je me suis pas fait mal!

Le beau sourire! Le souverain sourire! Derrière sa voilure de faux apiculteur, Léo, qui n'a pas un cœur de granit, en est touché. Parler un peu. Pas longtemps. Pas d'imprudence. Parler, juste un peu, avec une jolie femme!

Ça le changerait des voix familières, les seules, celle, bourrue, grognante, du colonel, son élève borné et inculte, et celle, haut perchée de fausset, d'André Dastous. C'est une autre drôle de voix que va entendre la belle Maria. Avec un son creux, comme venu de loin, comme passé par un appareil, avec un peu d'écho lui semble-t-il. Son visage déformé, en creux, ce faciès en forme de bol à soupe, ce menton se relevant devant sa bouche, ce front replié devant ses yeux, tout cela donne à Léo une voix — c'est vraiment le cas de le dire — d'outre-tombe!

— Je vous vois souvent par ici. D'où venez-vous mademoiselle?

Maria ne répond pas tout de suite. Oh! elle n'a pas peur. Elle a le courage des innocents, des candides. De

27

l'ignorance naïve. Elle a été élevée à la dure, avec un père capable de petites brutalités, avec une mère bien obligée à de fréquentes raideurs de caractère. Elle n'a pas peur, c'est qu'elle n'a jamais entendu cette sorte de voix. Elle se dit que ça doit venir du chapeau à voile. Alors, rassurée, elle dit:

– Je travaille chez le sénateur DeSereau là-bas, pas loin.

Elle a levé un bras, une main. D'un index, elle lui indique, qu'on ne voit pas, la grande maison au bord du boulevard du Mont-Royal.

– Je peux rester un peu avec vous? Je peux vous accompagner?

Maria devine des choses. C'est étrange, est-ce son cœur si pur, si net? Elle devine de la bonté. De la bonté et de la douleur aussi. Elle détecte chez cet être masqué une sorte de profonde détresse.

– Vous cherchez de quoi, habillé de même?

– Rien. Pas grand-chose. Des insectes.

Léo a agité un peu son seau et son épuisette à manchon. Il se rapproche de Maria. Elle sent bon. Son cœur bat. Il s'énerve. Il se rapproche davantage. Il ne voit plus que ses bras nus.

Il voudrait toucher. Toucher un peu à de la peau nue, à de la peau féminine. Il se souvient vaguement. Il aimait la peau de... Suzanne par exemple. Une fille qu'il adorait, qu'il craignait tant de perdre, jeune, qu'il soupçonnait sans cesse quand il était jeune et pauvre et si jaloux. Il se souvient de tout très subitement. Il avait voulu tout oublier, mais cette fille dans ce sentier, cette jolie

28

brunette à la peau qu'il devine si douce lui fait se souvenir de tout, des rires en cascades de Suzanne, des yeux fous de Suzanne quand il l'embrassait, quand il était beau et jeune et trop jaloux. Cette Suzanne de ses souvenirs lointains qui s'est noyée dans la piscine d'un vieux richard ventripotent qui lui faisait du plat.

— Je ne vis pas ici, mademoiselle. Je viens de loin, de Budapest et je repars bientôt.

Il croit bon d'insister.

— Je ne reviendrai jamais ici sans doute.

— Vous êtes un savant, je suppose.

— Non. Oui. Un peu, à ma façon.

Maria marche à ses côtés. Elle devine tout, extrasensible. Elle sent des choses encore. Comme des cris. Un appel «au secours». Elle est mal. Cet homme a mal. Cet homme ment. Cet homme fuit. Il se cache. Il a peur. Elle ne sait trop. Elle a peur, un peu, à cause de sa peur à lui.

— Vous habitez dans un hôtel, je suppose?

— Oui. Rue Sherbrooke, de l'autre côté de la montagne.

— Voulez-vous manger avec moi, ce midi?

Elle ne sait pas trop pourquoi elle dit cela. Il semble si douloureux, si seul, si malheureux. Elle le devine très bien, cet homme est perdu, cet homme est comme mort! Elle n'écoute que son cœur. Elle pourrait bien partager son lunch avec cet homme désespéré, la maison est si grande, et elle est seule à y travailler.

— Je suis seule. Mes patrons, les DeSereau, sont en voyage. J'ai du fromage et du jambon. J'ai des fruits. Je fais du bon café.

Léo l'entend qui rit comme une gamine et il en est tout bouleversé. Il y a longtemps, longtemps qu'il n'a pas été ému avec quelqu'un. Il dit que c'est un mirage et qu'il va se réveiller, que c'est un simple rêve, il a envie de se pincer.

— Je veux bien. Merci beaucoup. J'accepte.

Il a oublié. Il s'oublie, pauvre Léo. Il ne pense plus à ce visage d'os recourbé, de dents toutes croches, d'yeux sortis de la tête, de son nez de chimpanzé. Il est l'ancien Léo, le Léo d'antan quand il était beau et jeune. Il est fou de bonheur nerveux et cela, il ne savait plus ce que c'était depuis l'accident avec le Hongrois Malik aux laboratoires, depuis tout ce temps qu'il a consacré à son mausolée, à son bunker. Tout ce temps, ces efforts pour s'installer peu à peu sous terre. Les gens d'Outremont-en-haut jettent leurs choux gras. Il n'a pas cessé, la nuit, de trier leurs ordures. Il y a ramassé des trésors. Dans son caveau, Maria y verrait de tout, des miroirs de prix, des lampes anciennes bien jolies. Une cheminée même. Une belle grande cheminée faite de pièces de bois d'acajou, avec un manteau de marbre vert. Elle verrait des cadres aux moulures exotiques, des instruments électriques divers, un baromètre antique, de confortables fauteuils tapissés. Il y a de l'argenterie, un lustre antique, de la vaisselle rare. Il y a une bibliothèque. Les toilettes y sont spacieuses, mais oui, c'est un condo étonnant, unique au monde, que ce caveau chez Léo! Maria n'en reviendrait pas.

— J'ai eu un accident. Il y a longtemps.

Énorme silence là-dessus! Léo ne sait même pas pourquoi il a dit cela. Pourquoi lui faire cette annonce? Il a dit ce qu'il avait envie, énormément, de dire. Rêve-t-il de l'installer sous terre déjà?

– Je suis défiguré maintenant. Un bain d'acide. Dans un laboratoire.

Maria ne dit rien. Elle va près de lui. Elle lui touche un bras. Elle a son grand cœur, celui des grands jours! Elle fait la sainte. C'est cette Maria, une maman de dix ans déjà quand la mère doit quitter le foyer. Elle tente de voir mieux. Elle se hausse un peu, il est si grand ce chercheur d'insectes avec son chapeau à voile d'apiculteur. Lui, il se dit qu'il devrait en finir. Qu'il devrait retirer aussitôt ce masque. Qu'elle saura tout, tout de suite, que ce sera fini et qu'alors elle va courir, se réfugier, horrifiée, chez ses patrons absents et verrouiller la porte à triple tour. Elle fera des cauchemars. Tant pis.

– Vous pouvez enlever ça, si vous voulez, je n'aurais pas peur.

Elle dit vrai. Il le sait. Il le sent. Elle sait bien qu'il n'y a rien pour la dégoûter. Elle le sait depuis qu'elle est toute petite fille, soignante précoce, infirmière enfantine de tout son quartier modeste.

Il hésite tout de même. Ils marchent ensemble et c'est bien suffisant. Il tremble un peu.

– Je n'ai pas touché à une fille depuis l'accident.

– Touchez-moi.

Elle rit, lui tend le bras. Il la touche. Il la palpe. Il lève ce joli bras vers son voile et il respire, une odeur de propre, de parfum. Il rit sous son voile. Un rire glauque. Un rire perdu. Un rire qui s'étouffe dans sa gorge. Plus l'habitude de rire. Jamais.

– Venez, c'est pas bien loin, venez goûter à mon café.

Ils y vont. Léo se dit qu'il est fou. Voilà des années qu'il se terre comme une marmotte et voilà qu'après trois phrases, il abandonne toute prudence. Cette femme est une sorcière. Ou bien c'est un piège. Ça pourrait bien être un piège. La police? Si énervée ces temps-ci. C'est pour ça qu'elle ne craint rien. Oui, c'est un piège. Il faut vite fuir. La tuer d'abord. Mais oui, il ne faut pas qu'elle retourne dans son poste de police et qu'elle annonce à ses chefs où il rôde. Il voudrait disparaître. Fini déjà son bonheur. Finie déjà la joie retrouvée.

– Vous allez voir mon visage et puis vous disparaîtrez ensuite.

Maria ne comprend pas. Elle sourit d'aise. Et elle attend de voir.

Léo se métamorphose. Se raidit. Du granit partout maintenant. Il s'en veut, il a été faible. Il enlève son chapeau d'apiculteur. Il guette un cri. Une grimace. Mais Maria le regarde sans broncher. Donc, elle sait. Elle a déjà vu. Les photos de police? On a beaucoup publié sa binette au temps du procès à Pavel Malik. Il a un dossier de presse. Elle est au courant, il n'y a donc pas de surprise. Cette femme-police a étudié à fond son homme, sa proie. Eh bien, non, elle n'aura pas d'avancement, elle fait son dernier quart de travail! Léo a lâché le filet et la chaudière. Il la laisse bien voir son visage, avance un peu dans le soleil entre un tas de jeunes érables. Le granit brille. Maria se pince les lèvres. Elle voit ce qu'elle veut. Elle voit la détresse dans les yeux globuleux. Elle sent la misère dans cette bouche aux gencives proéminentes, elle devine, dans les muscles des joues maigres qui remuent, le désarroi le plus total.

32

– Il y a de la beauté dans votre visage. Vous le savez pas?

Le cœur qui flanche. Mais il se reprend, il ne faut pas s'attendrir. Il ne faut plus qu'il s'enfonce. Il songe à Bédard, il l'imagine qui lui crie: «Assez! Tuez-la! Suffit monsieur Léo!»

Il remet son chapeau. Il remet sa carapace. Il se clôt. Il se referme, s'interne dans sa solitude habituelle. Toutes les issues sont cadenassées. Il pousse un petit cri. Un ricanement.

– Venez voir quelque chose.

Il la pousse d'un petit geste sec. Devant lui, un peu plus loin, il sait qu'il y a un ravin. Il la poussera dedans. Il y a son arme. Dans le manche du filet, cette épée qu'il a si bien camouflée dans cette branche de chêne évidée, une épée trouvée, une nuit, dans une poubelle de richard de l'avenue Maplewood. Tranchante, si tranchante depuis qu'il l'a aiguisée finement, arme redoutable désormais. Il lui coupera la tête d'un seul geste. Il l'a déjà fait. Il était bien obligé. Un grand chien, un Labrador, qui venait et revenait renifler le caveau.

Maria devine tout. Elle le sait, mais elle a peur. Elle marche vite. Il la tire à petits coups sans cesse pour qu'elle accélère. Elle s'enfonce dans du noir.

– Vous n'avez plus confiance en moi, c'est ça hein? dit-elle.

Il ne parle pas. Il sait les minutes, les secondes précieuses. On ne sait jamais qui on peut rencontrer ici dans ce sentier, il faut faire vite, très vite. Au fond de lui, pourtant, il a du regret. Il est partagé quelques instants. Il y a lutte. Le bien et le mal? Il ne sait pas trop distinguer.

Quand on est un mort vivant, on ne sait plus trop, on est mélangé. Était-elle un ange envoyé du ciel dans son enfer souterrain? Ou un policier déguisé en femme de ménage? Comment être certain? Pourtant, quelques instants, il l'a vue vivant avec lui, s'installant volontiers dans son insolite château sous terre. Une folie? Un souhait insensé!

– Arrêtez-vous. C'est fini pour nous deux.

– Je m'appelle Maria et je suis une femme de ménage, je suis rien.

Il hésite encore. Il élève farouchement son bâton-manche lentement, fait sortir sa luisante épée.

– C'est ma faute, il fallait pas m'approcher de vous, Maria.

Non, inutile de lui couper sa jolie tête, au fond de la falaise, elle ne sera plus que charpie avec tous ces rochers épointés. Il est sûr que ce témoin gênant se fera découpé en pièces tout au long de sa chute. C'est ici qu'on a déjà retrouvé un étudiant de polytechnique insomniaque qui avait eu le malheur de se buter sur lui, Léo, un soir de pleine lune, sous un froid arctique. On l'avait retrouvé mort et bien mort, ici, déchiré, vêtements et peau en lambeaux.

Il a poussé Maria.

C'est tout. Et elle n'a pas crié. Elle a gardé les yeux ouverts sur cet homme masqué, au visage de granit. Comme si elle le jugeait. Un fou? Elle l'aurait aidé. Elle se le jurait encore au moment où il l'a poussée. Léo est content, elle a pas crié. Juste avant de la pousser, il lui a dit:

– Je suis obligé, Maria! Obligé.

34

Elle a regardé son épée sortie qui luisait comme une flamme au soleil. Ensuite, elle a détourné la tête comme pour voir le fond du ravin, le mur de pierre, agressif et puis elle a fermé les yeux en murmurant:

– Je vous aurais aimé. Vous auriez été moins seul.

Fini. Il l'a poussée et sans se retourner une seule fois, l'étrange apiculteur a repris sa marche vers sa tanière. Un chien qui rentre au bercail après avoir mordu à mort. Son épée, de nouveau, n'était plus qu'un bâton sculpté servant de manche au filet à insectes volants.

Un si beau jour! Une si belle température! Au fond d'un gouffre, on peut apercevoir un petit bouquet modeste sur le corps d'une jolie jeune femme qui ne bouge plus, vraiment inerte.

3

La ville s'énerve. C'est beaucoup de cadavres en une si jolie saison. Beaucoup trop. Et trop d'impuissance du côté de la police. L'inspecteur Charles Asselin devient très nerveux. On l'a chargé de l'enquête, on lui a donné beaucoup d'agents, des spécialistes en meurtres crapuleux, des conseillers, des savants en criminologie pour l'aider à découvrir les bonnes pistes, mais ça n'avance pas. Asselin, le grand méfiant, celui qui suspecte tout le monde au départ d'une enquête, se sent un peu perdu. C'est la première vraie grande fois. D'habitude, il tente de rester calme, d'y aller par lentes déductions, mais cette fois, il est tendu. En blague, on dit de lui en milieu policier: «Asselin est si méfiant qu'il commence toujours, premier suspect, par s'interroger lui-même au départ d'une enquête.»

Il veut aller à l'hôpital Saint-Luc. Il a lu dans les journaux cette histoire d'une jeune femme trouvée au fond d'un trou de pierre sur la montagne. Une certaine Maria Micone. Alors, il veut l'interroger, car elle prétend qu'il s'est agi d'une simple chute, d'une bêtise, qu'elle ne s'est pas méfiée, tout occupée à ramasser des fleurs sauvages. Asselin – sa méthode – n'y croit pas trop. Il se dit que cette demoiselle Micone, femme de ménage, a peur peut-être, qu'elle sait peut-être quelque chose, qu'elle a peut-être vu un des tueurs, un de la bande pour la crucifixion du juge Brault ou pour ces «Cavaliers morts chevauchant des lions» criait un titre de presse. Oui, il est décidé, il a téléphoné à Saint-Luc et malgré les réticences du médecin traitant, il a exigé un rendez-vous avec cette grande blessée, celle dont les journaux ont dit «Échappée de la mort malgré une chute effroyable».

Mais en arrivant au bureau, ce matin-là, très tôt, Asselin oublie vite sa rencontre avec cette Maria Micone. Il y a un tas de photos. Des horribles une fois de plus, prises au parc Lafontaine, du côté de la rue Rachel, côté nord-ouest, au monument du héros du Long-Sault, encore un tas de cadavres nus, les pénis coupés. Funèbre décoration tout autour de Dollard-des-Ormeaux.

De jeunes garçons, des adolescents, cinq prostitués mâles, un choix, fatal hasard, parmi ces délinquants qui s'activent en face de la Bibliothèque centrale, dans la noirceur prise autour du monument à Louis-Hippolyte Lafontaine, dans le parking municipal. À la radio, à la télé de dix-sept heures, partout, c'est la fanfare des cris, des protestations. On a pu entendre une certaine approbation sur les ondes à tribunes publiques, là où des citoyens se défoulent de façon anonyme: «Il y a du bon, ça va un peu nettoyer la ville de cette vermine.» Des tribunes excitent volontiers cette frange de la population, frange qui regrette les temps de jadis, qui craint l'avenir tout autant que les temps actuels, qui s'énerve, d'une détresse de névrosés à fleur de peau, chaque fois qu'elle lit les atrocités de la page trois de son quotidien favori.

38

Asselin fait remettre son rendez-vous à l'hôpital. Il veut aller voir les cadavres, à la morgue de la rue Fullum, et surtout, parler avec ceux qui sont chargés des autopsies. Avec les spécialistes en empreintes de toutes espèces. Des journalistes téléphonent sans cesse, difficile de refuser sans cesse le moindre commentaire. Le public crache beaucoup d'argent pour être bien protégé. À un député nerveux, il dit: «Il s'agit d'une bande organisée et il faut toujours, dans ces cas-là, compter sur une défection, sur la délation. Ça va venir vite.» À un échevin anxieux, Asselin déclare: «Ça va aller vite, il n'y a pas des milliers de personnes pour tant haïr les homosexuels, nous fouillons notre banque de *crackpots*.»

En réalité, la police est dans le noir. Depuis la mort du juge Brault, on ne cesse de faire défiler ou d'aller questionner tous les petits groupes de skins, les membres de clubs d'extrémistes, racistes, réactionnaires de toutes sortes. Bilan? Zéro! Asselin devine maintenant qu'il a affaire à des gens prudents. À des personnes très organisées. Il songe qu'il s'agit probablement d'un escadron de clandestins, bâti sur le modèle d'une cellule terroriste.

Dans sa grotte sous terre, Léo a la radio et la télé. Il a su pour le miracle, celui d'une Maria retrouvée vivante par un couple d'ornithologues amateurs un peu avant le coucher du soleil de ce jour terrible quand Léo lui avait dit: «Je suis obligé.» Il pense sans cesse à cette beauté brune qui n'a pas grimacé, qui n'a pas crié, quand il lui a montré son visage ravagé. Il n'en revient pas de sa déclaration publique: «Je suis tombée par inadvertance.» Il en est secoué. «Cette fille est hors du commun», se répète-t-il. Il en est remué profondément. Il est très inquiet aussi. Il y a quelqu'un, elle, qui sait qu'un homme défiguré rôde sur la montagne, qu'il a une épée camouflée, dans sa canne-filet, qu'il s'habille en apiculteur... Cette Maria pourrait craquer si on la questionnait davantage. Dira-t-elle: «C'est un grand gaillard, plus de six pieds de haut, il porte un chapeau avec voilette, il a déjà étudié en Hongrie, à Budapest, il me l'a dit.» Alors, on saura que le défiguré de l'université, le noyé, le suicidé du pont Jacques-Cartier, n'est pas mort. Qu'il est vivant. On dira qu'il est devenu fou, qu'il rôde pour tuer sur le mont Royal.

Léo y pense sans cesse. Il va devoir trouver où vit cette Maria Micone, très exactement à Verdun. Une fois sortie de l'hôpital, il va falloir qu'il y aille ou qu'il donne un ordre d'exécution à son fidèle élève, le colonel Bédard. Il n'aime pas cette idée. Faire assassiner cette fille si douce, si calme, si sereine, si sensible aussi, qui a deviné sa profonde détresse. Comment fera-t-il pour tenter une deuxième fois de la rayer de la carte des vivants? Non, il n'aura pas ce courage. Il se dit maintenant qu'il la trouvera pour lui-même, qu'il l'enlèvera, sans promesse de retour, qu'il la gardera avec lui, dans sa tanière bien équipée. Il rêve? Il imagine que cette Maria l'aime. Malgré son hideux visage de granit rouge sang, malgré sa tête cauchemardesque, cette Maria l'a aimé. Il y croit. Il croit. Il veut y croire. Il voudrait tant vivre avec la beauté, avec la douceur. Avec une femme. Comme avant l'accident.

Il oublie que Maria l'a bien vu qui la précipitait dans le trou de la mort. Qu'elle l'a bien vu dur, résolu, décidant qu'il faut qu'elle disparaisse. Comment peut-il croire qu'elle va pardonner? Quand il y pense, il pleure. Le granit pleure! Fontaine vivante! Pierre animée!

Léo erre d'une pièce à l'autre dans son abri anti... anti quoi? Anti-humanité? Il a oublié depuis longtemps ce labeur gigantesque lent, patient, de devoir gruger le sol sous cette partie du cimetière abandonnée. D'aller, nuit après nuit, verser ces milliers et milliers de seaux de terre souterraine. Il avait pratiqué un invisible portillon dans la grille et il allait un peu partout dans la montagne, éparpillant toute cette terre qui livrait place à une chambrette d'abord, ensuite à une cuisinette, puis à un petit vivoir... Aujourd'hui, s'il réussit à capturer cette Maria qui en sait trop, elle n'en reviendra pas de voir une si imposante installation, station de métro unique, aux murs parfois lambrissés, parfois tapissés, ni d'y voir toutes les commodités. De voir aussi ce qu'il nomme «la rallonge», ce mini-zoo sans visiteurs, longue galerie de cages aux barreaux de branches écorcées où vivent ces animaux apportés là par le trop sensible Dastous. Singes, rats blancs. Mais aussi un sanglier! Des oiseaux exotiques. De ces bêtes condamnées sans appel que Dastous a sauvées de la mort en se faisant engueuler chaque fois, traiter de mauvais gardien. Menacer de renvoi, il ne sait plus combien de fois.

Maria Micone en serait fascinée, renversée vraiment, mais accepterait-elle cette geôle singulière? Devra-t-il alors l'enfermer, comme une bête, dans une des cages aux barreaux de bois franc vernissés? Léo a entendu parler et du juge Brault et des mutilés au monument du grand ange, pas loin de sa tanière. Il vient d'apprendre qu'il y a maintenant ce sinistre quintette de jeunes prostitués, ligotés, accrochés, en collier tout autour de Dollard-des-Ormeaux. Il répète à Dastous qu'il ne sait rien. Que des doutes. Parfois. Ce curieux compagnon de bunker, le colonel, ce concierge du manège militaire, au 4185 de la Côte-des-Neiges, celui du Royal Canadian Hussards et du Deuxième Régiment. C'est certain, Léo n'aime pas les marginaux, ni les pédés, ni les Noirs des bandes de l'Ouest, ni les motards criminalisés. Ni «la bohème». Pas davantage les parasites de l'assistance sociale.

De là à tuer? Non, ce Bédard veuf inconsolé, endeuillé encore par le meurtre de sa chère Germaine, est un désespéré, un cynique, tout ce qu'on voudra, pas un tueur. Léo n'ose pas l'accuser. Ne sait pas tout. Ne sait pas du tout que son ami Bédard supervise, du mieux qu'il peut, non pas seulement sa petite milice mais d'autres

41

troupes. Il a insisté, il y a longtemps, pour que sa milice se multiplie. Chaque membre de son corps d'élite avait le devoir, la charge, l'ordre même, de former dans son quartier, avec ses moyens, une autre milice. Ainsi, ses douze bons apôtres de l'ordre à tout prix sont les «colonels» de douze autres groupes. Cela fait bien cent quarante-quatre miliciens assoiffés de «vraie justice», enragés contre les marginaux. Tous – ils ont juré – sont prêts à combattre «le mal». Ils attendent le grand soir. Le soir de la libération quand cessera, par la force, la décrépitude actuelle.

Le colonel ne dit pas tout à Léo. Il le devine trop humaniste, trop pacifiste. Il n'a pas confiance. Trop philosophe, quoi! Léo n'aime pas les hommes, il fuit la société. C'est un misanthrope déclaré, mais il prêche la tolérance le plus souvent. Ça n'empêche rien, ça n'empêche pas de pousser dans un abîme une jeune femme trop curieuse qui ne s'est pas évanouie en voyant sa face dévastée.

Trop, c'est trop. Ni Asselin ni aucun officier de police ne sait ce qui se passe en ce moment dans la cave d'une petite usine désaffectée du quartier gay. Ils en ont assez. Cette nuit même, il va y avoir une patrouille gigantesque. Une première. Il va y avoir un commando de vigiles sur la montagne et au parc Lafontaine. C'est la panique au sein de cette minorité menacée, on doit bien le comprendre. Il y a eu trente morts d'homosexuels l'an dernier! Dix agressions chaque semaine et puis les meurtres. On n'a plus confiance dans les autorités policières, alors on a décidé que la protection des gays devait se faire sans l'aide de la police. Quand la noirceur s'installera, deux par deux, trois dizaines d'escouades vont quadriller le mont Royal au complet. Leur chef l'a dit et le répète: «Plus jamais de ces carnages sauvages! Assez de cette furie meurtrière.» Ils sont armés. Couteaux, lames variées, mais aussi revolvers. Facile de s'armer dans

42

cette ville. En quelques heures, en deux ou trois visites dans les brasseries périphériques, isolées. Quelques contacts et les armes pleuvent au local clandestin du DG. DG pour Défense des gays. Armes toutes achetées par l'entremise d'Amérindiens *Warriors* des réserves environnantes. Un vieux trafic connu des policiers, impuissants en la matière, comme en tant d'autres, puisque les politiciens favorisent cette pratique aveuglément. La paix sociale à n'importe quel prix. On vise la réélection. On a peur des vagues. On ferme les yeux, lâches et complices.

Léo ne sait pas tout.

Asselin pas davantage.

Vociférant comme diable en eau bénite, un *radioman* en quête de bonnes cotes d'écoute, dracula insipide, gueule sans cesse depuis ce matin: «C'est pas seulement les jeunes fefis du parc Lafontaine qu'il fallait crever, mais ces vicieux de bourgeois qui viennent les racoler chaque soir.» On applaudit fort à ces appels au meurtre dans les banlieues quiètes. Car ils agrandissent les yeux ces petits bourgeois tranquilles, tous ceux qui ont voulu mettre leur famille à l'abri de la grand-ville décadente. Ils lisent le journal du matin et leur sang se glace. Comme ils ont bien fait de fuir hors de Sodome! Ils regardent les photos des jeunes cadavres entourant Dollar et ils se félicitent de leur exil, ils ont vu le juge Brault, ils ont vu les cavaliers aux lions, ils examinent attentivement les sculptures macabres ce matin. Partout, de Pointe-Claire à Pierrefonds et à Roxboro, de Chomedey à Duvernay et à Vimont, de Brossard à Boucherville, comme à Longueuil ou à Saint-Lambert, partout, partout, des centaines de milliers de travailleurs soumis, de citoyens respectueux des lois, écarquillent les yeux et, voyant ces corps nus sur le noble socle de pierres taillées du parc Lafontaine, se répètent: «La ville, la nuit, c'est pas beau!»

Le café est bon, la confiture aussi, la tondeuse à gazon est sortie, l'été bientôt, le four à barbecue a été nettoyé, la pataugeuse le sera ce week-end, tantôt le bus jaune ramassera les écoliers sages. En banlieue, la vie est saine. C'est beau la banlieue le matin quand partout cuisent les œufs frais, que l'on tartine ses rôties avec de la confiture aux fraises!

À l'hôpital, Maria a mal. On lui a dit brutalement qu'il se peut qu'à l'avenir, une fois sortie de l'hôpital... ce soit le... le fauteuil roulant! On espère un peu. On attend d'un jour à l'autre un jeune spécialiste, Alain Grandbois, qui rentre d'un séjour de spécialisation en Virginie, aux USA. «Il pourra peut-être arranger vos os cassés» a dit son médecin. Maria a une voisine, Rita, brûlée à la suite d'une explosion dans l'atelier de néons que gère son mari. Elle va un peu mieux. Elle a raconté toute son histoire à Maria. L'accident qui lui avait donné un visage monstrueux. Rita dit son émerveillement pour Alain Grandbois. Il n'est pas poète comme son célèbre homonyme. Non, il est chirurgien. Un expert renversant en chirurgie plastique, en greffes de peau. Rita ne cesse pas de louanger son travail. Peu à peu, on lui a enlevé des bandelettes et la momie s'est métamorphosée. Un vrai conte de Cendrillon. «Je serai encore plus belle qu'avant mon accident!» roucoule-t-elle. Le docteur Grandbois, en effet, est un vrai thaumaturge. Rita fait voir une photo à Maria. Avant et après. L'horreur avant. Maria ne peut s'empêcher de songer à son bourreau, à ce grand gaillard qui se déguise en apiculteur. Quand Grandbois passe au chevet de sa patiente recousue, Maria ose lui parler. Prudemment, elle lui confie qu'elle a un ami bien mal pris, avec un visage de monstre, brûlé à l'acide. Le chirurgien l'écoute aimablement. Quand Maria lui dit «Pensez-vous que c'est réparable un cas comme ça, docteur?», il sourit. Il a un soupir. Et il dit: «Ça dépend. Faudrait que je puisse voir votre ami. Amenez-le-moi un de ces jours. Je l'examinerai volontiers. J'aime les cas difficiles.»

Il s'en va et Maria rêve. Elle retournera près des grilles du cimetière. Avec des béquilles, des cannes, peu importe. Ce n'est pas vrai qu'il devait repartir pour l'étranger. Elle n'y croit pas. Elle a eu affaire à un misérable désespéré. Si le docteur Grandbois pouvait corriger ce masque dégoûtant, l'apiculteur n'aurait plus jamais besoin de pousser dans un ravin une trop curieuse innocente. C'est ce qu'elle pense, à en oublier les douleurs qu'elle éprouve dans ses jambes blessées.

Maria apprend qu'elle va quitter cet hôpital en face du parc Lafontaine, qu'on va la transférer en face du mont Royal, à l'Hôtel-Dieu. Ainsi, elle passe des parages du parc où on vient d'accrocher des petits prostitués, aux parages d'un autre lieu de carnage, car de sa chambre de l'Hôtel-Dieu, elle pourra voir le monument à l'ange géant, celui-là même où on installait d'horribles cavaliers morts, charcutés, castrés, aux croupes des lions monumentaux. Le même où, les dimanches d'été, des joueurs de tambours se réunissent pour faire du bruit en saccades, en rythmes primaires, qu'ils prennent volontiers pour de la musique. Maria va se laisser faire. Elle ne pense plus à elle. Elle ne songe qu'à retenir un nom: Alain Grandbois, un démiurge inespéré qui pourrait réparer le visage d'un bonhomme perdu qu'elle a aimé tout de suite sans pouvoir s'expliquer pourquoi. Un thaumaturge! Elle prie sa chère Notre-Dame de Fatima: «Faites qu'il m'attende. Faites que je guérisse très vite et faites qu'il ne tue personne.»

Au 4185, le colonel, ce soir-là, est plus bourru que jamais. Hier, il manquait Picard. Un de ses favoris, Roger Picard, ex-punk, et, ce soir, c'est au tour de Glass, son petit voyou irlandais qu'il a sauvé de la prison, qu'il a su raisonner au moment où il allait commettre la folie d'une attaque de desperado sur un camion blindé de Secur. Son bouillant Irlandais tout roux, Richard Glass[5]. Son vieux

---

[5] Héros de *L'armoire du Pantagruel*.

gamin à la peau tachetée de rousseurs, aux grands yeux turquoise. Le colonel passe en revue sa petite troupe et grogne.

– Et demain, qui va s'absenter? Hein? Toi, Simard? Ou toi, Lortie? C'est chacun votre tour? C'est ça?

Est-ce que ça se peut que Roger Picard, surnommé Furie, puisse avoir organisé, avec sa milice à lui, l'expédition punitive du parc Lafontaine? Le colonel ne comprendrait pas. Peut-être que Roger l'a pris au mot quand il a enseigné: «Un jour, chacun d'entre vous devra passer à l'action, le jour N. Grand N pour grand nettoyage.»

Gilles Bédard, dans sa recherche des tueurs de sa Germaine, avait fait des rencontres étonnantes. Un copain d'un jour, dans une taverne, lui indiquait «son» suspect. Un jeune bandit, un fou bien capable de tuer pour le sac à main d'une joueuse de bingo. Bédard, aussitôt, organisait sa traque, filait le voyou qu'on venait de lui indiquer, mais, au bout de compte, il faisait connaissance avec un garçon désespéré, une âme à la dérive, certes un tueur en puissance, un enragé, un révolté détestant la société sans raison précise autre que sa misère, ses échecs, sa déchéance annoncée. Bédard l'enrôlait, l'invitait à joindre les autres révoltés du 4185 Côte-des-Neiges, trois nuits par semaine. Roger Picard s'enrôlait.

Souvent, Bédard leur recommandait de vraiment s'inscrire dans l'armée. Que cela aiderait la grande cause du jour N. Alors, il leur fournissait une lettre de recommandation de son protecteur, le général Proulx, soit pour les Fusiliers Mont-Royal, à la caserne de l'avenue des Pins près de l'avenue Henri-Julien, ou pour le Régiment Maisonneuve à la caserne de la rue Cathcart à l'ombre du gratte-ciel cruciforme de la Place Ville-Marie. Ou encore pour les RCG, Royal Canadian Guards, rue de Bleury près de Sainte-Catherine. Les miliciens s'infiltraient partout de cette manière. Trois fois par semaine, Bédard avait donc promis de les organiser peu à peu en un escadron puissant, invincible, hypothétiques putschistes d'élite, nobles mercenaires-justiciers héroïques. Ça marchait. Des têtes brûlées (adieu punkisme et skinnisme!) se plongeaient dans le mirage mégalomane. Bédard, depuis la mort de Germaine, je l'ai dit, avait le cerveau fêlé. Sans les conseils de modération de l'apiculteur, Bédard serait bien plus vite devenu le fou dangereux passant à l'attaque du parlement, tel un certain caporal Lortie, en bien mieux organisé. Léo savait le retenir, le calmer, lui expliquer que cette heure de la révolution globale n'était pas si urgente à proclamer, qu'il y faut mille préparations.

Un bon jour, un soir plutôt, Gilles Bédard fut admis à un vaste banquet d'officiers supérieurs de l'armée. On avait besoin de tout le monde pour cette fête gigantesque: la prise de retraite d'un général particulièrement intelligent. Assez brillant, justement, pour avoir rendu tout ce quartier général du 3530 de l'avenue Atwater en un lieu fréquentable de fort bon prestige. Des professeurs de sociologie, par exemple, y allaient parfois pour des conférences qu'il aurait été impensable de tenir il n'y avait pas si longtemps. D'autres universitaires, un astronome, Hubert Reeves, mondialement connu, un expert en génétique, Albert Jacquard, ou bien une sommité en physique quantique, et qui encore?, furent les hôtes de soirées instructives étonnantes en un milieu que l'on classe trop vite comme ultra-conservateur, fermé, bouché. Ce soir-là, Bédard, tout excité, fit des pieds et des mains pour se faire remarquer. Il avait loué un habit et, tout en se livrant à sa tâche, il avait voulu converser dans les salons, au bar, dans la serre, avec les hauts gradés du quartier général. Dehors, de plantureux buffets étaient installés au milieu des pelouses impeccables, la ville grondait en un murmure adouci. Tout autour, les militaires badinaient, riaient, trinquaient et Bédard, soutenu par Eddy Proulx, allait de

47

l'un à l'autre, affichant son credo, ses griefs, sa révolte, essayant sans cesse de détecter s'il pouvait se dénicher des alliés, des esprits comme lui, révoltés par l'état de la société. Il en trouva trois et il avait bien mémorisé leurs noms, des galonnés imposants, vieillissants, du nom d'Allan Albert Ryan, de Paul-Bernard Lortie et de Brian Canning. Ça lui suffisait. Un jour, à la veille de la grande razzia, ces chefs entreront en contact avec lui, et nul doute qu'il sera indispensable pour collaborer à l'énorme lessive de tous ces politiciens pourris, veules, velléitaires, corrompus. Le jour de gloire, alors, sera arrivé!

Ce qu'il ignore, le brave «colonel», c'est qu'il se pourrait bien que certains de ses jeunes zélateurs aient décidé de passer à l'action, anticipant d'exercer leurs forces nouvelles.

Asselin ignore tout, lui aussi. Ce qui se passe la nuit au 4185 Côte-des-Neiges, ce qui se passe chez Roger Picard quand il réunit ses douze à lui, dans l'ancien entrepôt de son oncle décédé, vendeur de matériaux de construction dans ce qui se nommait Tétreaultville. On est loin du mont Royal? Oui, on est loin aussi du parc Lafontaine, mais ça n'empêche pas sa douzaine de fidèles d'envahir le parking en face de la Bibliothèque municipale centrale, d'installer des gardes ici et là et avant l'aube, de s'emparer des misérables gamins qui commercent avec les bourgeois désaxés, qui se font de l'argent vite gagné en débourrant de furtifs dépravés en maraude. L'inspecteur Asselin ne connaît pas encore Roger Picard, pas plus qu'il ne connaît son maître à penser du 4185 Côte-des-Neiges, pas plus qu'il ne connaît le maître à penser du colonel, cet apiculteur, taupe étonnante, muré vivant dans un appartement incroyable sous un caveau abandonné dans un cimetière au pied du mont Royal. Il cherche, fouille, s'impatiente, les doigts dans des cahiers judiciaires et des photos de police. Le classique ramassis de délinquants divers, cheveux verts, chair trouée, peaux tatouées, anneaux aux ailes du nez, aux oreilles. La lie d'un jeune monde névrosé.

Il ne sait rien de Glass. De Richard «Dick» Glass. Lui aussi, c'est son grand soir. Glass va frapper à son tour. Il a commandé un caucus d'importance dans le chalet abandonné de sa tante hospitalisée, marraine qui le gâtait à sa façon, aveugle et complaisante.

Rivière-des-Prairies n'est pas si loin du mont Royal après tout. Et Dick a sa bagnole, une vieille Honda Accord 88. Il a bu, la tension est grande. Il cherche un peu de coke. Juste un peu. Pour combattre le stress de devoir punir. Tuer, ça veut dire. Juste un peu de poudre pour trouver l'énergie d'un bon coup de balai, avec pas mal de sang. Pauvre Dick, il ne peut pas savoir que lui et les siens sont attendus de pied ferme là-haut.

Oh la la! demain, l'inspecteur Asselin en aura vraiment plein la vue. Voici donc le jeune absent du 4185 Côte-des-Neiges, avec ses douze zélotes, en marche vers un carnage de plus. Il est stimulé par tous ces crimes des jours récents. C'est comme si leur brave «colonel» était passé à l'action sans le dire officiellement. Effet d'entraînement, que toutes ces dépouilles mortelles, castrées, exposées en plein air. Il en était comme enivré, le Dick Glass, prêt à faire sa part. Asselin, demain, va découvrir qu'il y a désormais une organisation de défense, il va apprendre que le milieu des homos peut assurer sa propre protection, sans son aide au grand limier.

Léo se regarde longuement dans un des beaux miroirs de son abri, comme il le fait souvent. Lui aussi, pas plus qu'Asselin, ne sait ce qui se prépare, pas loin, dans ce soir qui monte, malgré cette pluie qui tombe, fine, douce, fraîche, qui fait reluire tout ce qui roule, tout ce qui passe, tout ce qui marche dans les rues du centre-ville, qui fait reluire les feuilles des arbres dans les parcs, sous les lampadaires allumés maintenant. Léo s'observe, regarde ce que Maria a vu, examine ce masque de pierre rousse, ce regard éperdu, cette bouche aux lèvres quasi invisibles, ce nez de singe, ce visage en forme de bol creux avec les os retroussés. Cette face n'est pas la sienne, n'est pas lui, n'est pas le visage de celui qui aimait une certaine Suzanne qui a failli le conduire à la potence. C'est un autre. Il sursaute. Il a entendu soudainement la clochette. C'est son avertisseur. Ou bien c'est Dastous: ramène-t-il encore une bête de labo condamnée? Ou bien c'est le colonel? Facile de s'annoncer pour qui est dans le secret du lieu. Marcher vers la grille, aller à la pierre plate, la repousser d'un simple coup de pied, découvrir une sorte de molette, une petite pédale, suffit d'appuyer dessus avec son pied, sonnerie dans l'abri! Sous terre, Léo n'a qu'à pousser un levier, aussitôt une trappe coulisse là-haut dans le caveau découvrant un escalier qui conduit à une porte blindée.

4

Le soleil est arrivé en même temps que la police sur la montagne. Mais il y a eu d'abord Alice Bouchard, une ingénieure au service d'urbanisme qui roule, à l'aube, sur la voie Camilien-Houde. Elle vient d'être promue; fière mais tendue, elle en a perdu le sommeil. Alors, elle a décidé de circuler, sans but, dans la ville. Ce qu'elle va voir va lui enlever le sommeil pour un bon moment: un garçon efféminé, les vêtements en lambeaux, les cheveux rougis de sang, le visage comme une large plaie ouverte sur tout un côté qui se traîne hors d'un terrain boisé, rampe au sol. Il gesticule comme un pantin désarticulé et supplie, avec une voix de femme perdue, qu'on le ramasse. Alice, la fraîche promue, accélère. Vision d'hermaphrodite ensanglantée! La peur. Une réaction sotte sans doute et pourtant commune chez tous ceux-là qui découvrent très subitement... l'enfer. Ce matin, ici, l'horreur androgyne matérialisée. Alice s'empare en tremblant de son téléphone cellulaire.

La police est maintenant partout. Le soleil aussi. Partout, il éclaire la scène du carnage. Mais c'est la lune qui a tout vu. La lune hier soir qui se dégagea enfin des nuages sombres quand la fine pluie cessa subitement. Toute la bande organisée de Richard Glass patrouillait des fossés, des bosquets, des îlots de feuillus, les lieux reconnus comme propices aux «preneurs de dos», aux membres de la «confrérie des longues jaquettes». Les jeunes miliciens de Glass portaient l'uniforme gris qu'avait dessiné leur chef. C'était leur tour de «nettoyer» les nuits de Montréal. Ils avaient des couteaux très coupants, mais ils ignoraient qu'un peu partout, par groupe de deux, plusieurs dizaines de militants du Village gay, armés eux aussi, les attendaient, les guettaient. Ces derniers avaient des sifflets. Dès la venue des premiers miliciens épurateurs, coups de sifflets en série, un code. Voilà cinq, dix *villageois* en colère qui surgissaient et c'était l'altercation meurtrière. Le sang pissait partout sur la montagne. Les blessés se sauvaient. Des deux côtés, c'était la saignée la plus laide. Les disciples de Glass affolés, surpris, débordés, paniqués roulaient dans les talus, se cachaient, chiaient dans leur culotte. D'autres, moins chanceux, crevaient vite au bout de leur sang. La lune en était scandalisée. Un peu partout, en moins de deux heures, c'étaient des décombres humains. Ici un bras coupé, là une tête roulante. Les petits soldats venus de Rivière-des-Prairies ne pourraient pas tenir leur réunion prévue à l'aube. Ils s'étaient promis de fêter le nettoyage, de faire un feu rituel avec les pénis tranchés. Rien, il n'y aura aucune cérémonie au chalet de la bonne tante aveugle. Rien du tout. Pas un seul des douze fanatiques ne s'en est sorti. Chez les adeptes de l'amour montagnard naturaliste, il n'y a eu aussi que des victimes, parfois gravement atteintes, des éventrés ramenés en vitesse au local du Village gay. Il y a eu cette lesbienne qui avait tant insisté hier soir pour monter à l'assaut des collines, une lesbienne, parmi sept filles pleines de rage contenue, qui a eu la tête massacrée. C'est elle que la bourgeoise Alice-au-cellulaire a aperçue, dégoulinante, au bord de la voie Camilien-Houde.

Oui, la police est partout. Toujours trop tard! La police n'en revient pas. À la radio populaire du matin, c'est le tumulte le plus fou: «Qu'ils s'entretuent tous! On sera débarrassé des skins et des tapettes» insiste un citoyen de Saint-Jean à l'animateur surexcité par cette nuit des sifflets et des longs et des courts couteaux. Véritable nuit de Walpurgis quand les démons et les sorcières se rencontrent. Le *Journal de Montréal* fera un gros titre: «MASSACRE INOUÏ SUR LA MONTAGNE». En effet, un sacré bal de sang, bacchanale assassinée, orgie de fureur. Totale surprise pour Glass et ses jeunes fanas. Glass qui a fini par s'échapper de justesse et qui se terre dans une encoignure derrière le 4185, un bras ensanglanté, la poitrine lacérée de coups de couteaux, une jambe paralysée, une oreille pendante, le nez qui pisse un jet continu d'un sang abondant. Il cogne et il gueule qu'on lui ouvre. Le colonel finira par entendre ses appels et donnera un ordre. Son disciple entrera à quatre pattes et s'évanouira, le plancher de la caserne rougit.

Maintenant, le mont Royal fourmille d'agents de police. Asselin y est avec ses hommes. Lui aussi n'en revient pas. Un des homos blessés a crié sans cesse: «On a fait l'ouvrage que la police ne fait pas.» Onze jeunes miliciens sont tombés du côté de l'ordre et de l'intolérance. Sept moribonds sont à l'Hôtel-Dieu, à Saint-Luc ou à Notre-Dame. Asselin a maintenant l'embarras du choix pour ses questionnements! Quatre sont dans des frigos, rue Fullum, à la morgue. Avec un numéro, un sac de plastique et on va les découper, les inspecter bientôt pour bien savoir les causes de leur trépas. Ils ne revêtiront jamais plus l'uniforme de *jean* gris. Jamais plus ils se proclameront les Singes gris. Le nom donné à sa troupe d'acrobates-soldats par leur chef Glass, le sanguin rouquin révolté, l'Irlandais bafoué par son père dominateur et ivrogne. C'est fini *The Grey Monkeys*, fini pour longtemps pauvre Dick! Sur la poche de l'uniforme, il y a deux lettres: G.M. Ça disait *Grey Monkey* mais aussi «grand ménage». Le grand ménage a mal tourné cette nuit. Très mal.

Le colonel Bédard, dans sa caserne, secoue une de ses meilleures recrues, un de ses plus zélés, un de ses plus actifs militants. Il le questionne.

– D'où sors-tu? D'où viens-tu? Qui t'a fait ça, Dick?

Glass, à bout de souffle, marmonne. Il faut se pencher sur lui.

– C'était plein de folles sur la montagne. Chef, allez vite nous venger! Vite! Allez-y!

Le colonel se redresse, a peur de comprendre. Le silence s'abat sur toute la bande. On l'interroge du regard, on sait où prendre des armes. Le colonel jongle, tourne en rond. L'aube va poindre. Il est désorienté. Quoi faire? Il se répond sagement: rien. Il donne l'ordre de dispersion. Il se fait aider par Roger Picard, son autre adjoint de confiance avec Glass. On installe Glass dans des couvertures de laine grises. Ce n'est pas long que le sang les rougit. On le fait monter difficilement dans la vieille Monaco du colonel. Le personnel de jour va s'amener, il faut vite déguerpir. Bédard roule vers un vieux complice, le docteur Cardinal, retraité pour tout le monde sauf pour son vieux *chum* Gilles Bédard.

Ce n'était ni Bédard ni Dastous qui actionnait le pédalier secret près du mausolée, au pied de l'un des poteaux de la grille métallique, c'était le quatrième larron, c'était Rosaire. Qu'on vous présente maintenant Rosaire Lalonde[6]. Car les célèbres trois mousquetaires, on le sait bien, étaient quatre. Ici aussi. Rosaire, c'est le pensionnaire des religieuses des Saints Noms de Jésus et

---

[6] Personnage dans *Et puis tout est silence*.

54

Marie, du grand couvent, pas loin, Côte-Sainte-Catherine juste à l'est de Vincent-d'Indy. Les bonnes sœurs se servent du brave Rosaire comme homme à tout faire. Il n'est pas malin, le Rosaire. On dit qu'il n'a pas tous ses esprits. Apparemment. Il a des éclats de rire à l'étouffée, parfois. Et personne ne peut jamais savoir pourquoi il rit. Il joue de la guimbarde et de l'harmonica. Eh bien! Léo, le monstre tapi, l'a nommé «l'homme qui rit». En hommage à Victor Hugo? Rosaire est utile, pas seulement aux pieuses nonnes du couvent où il gîte, mais aussi à l'apiculteur. À Bédard parfois. Et à Dastous. Ainsi, à quatre, ils peuvent jouer aux cartes. Et l'apparent dingue, Rosaire, y joue fort bien. Léo l'aime. Il s'est attaché à ce maigrelet petit homme aux cheveux de jais, à la peau basanée, au nez crochu. Rosaire Lalonde affirme à qui veut l'entendre qu'il a du sang de «sauvage». Que son père était un vieux chef agnier d'Oka. Oka, où il est né. Un père qui se sauvait après avoir suborné une mineure, Thérèse Lalonde, qui vieillit mal dans une réserve près de Saint-Régis, côté USA. L'enfant a pris, c'est forcé, le nom de sa mère, célibataire. Lalonde. Rosaire détestait l'école. Sa mère, qui l'adorait, acceptait qu'il devienne un voyou doux, une sorte d'analphabète heureux qui préférait passer son temps à pêcher l'anguille, la barbotte, le brochet et le doré dans la Grande baie d'Oka. Ou partir chasser avec un soi-disant oncle algonquin du bout de la rivière Rouge, au fond des Laurentides. À trente ans, Rosaire était devenu un vrai vagabond, une éponge, un indésirable, un vrai quêteur de grand chemin. Il travaillait comme il pouvait, irrégulièrement, entre ses cuites, quand on voulait bien l'engager, restos, auberges, comme homme de peine, aide-cuisinier, videur de cendriers quoi, ramasseur de verres vides le plus souvent. Et il riait. Ivre ou non, il survivait.

Rosaire vient à l'abri pour y chercher sa part d'un butin. Dans la nuit d'hier, lui aussi était actif! Encore un vol. Encore un coup bien monté par le cerveau des trois mousquetaires, face de granit, Léo. Le vol s'était déroulé pas loin, chez un voisin du sénateur DeSereau. Il a été bénéfique. Beaucoup, vraiment beaucoup de bijoux, de magnifiques pièces. Une fois de plus, le colonel saura où aller, qui trouver pour les vendre. Tous pour un... Un pour tous! Ils se tiennent tous les quatre, on le voit bien. Dastous, lui aussi, est utile pour ces vols. Il consulte sa vieille maman, avenue Woodbury, qui est un carnet mondain. Elle sait tout, maman Dastous. Elle connaît les allées et venues des gens fortunés. Mine de rien, André la fait parler et puis il va renseigner le granit.

Rosaire est donc venu chercher sa part. Il veut deux bijoux parmi ceux que le colonel dédaignera. Un bijou pour sa vieille maman qui achève ses jours dans un hospice de vieilles dames à Oka, et un pour sa protectrice, une belle croix d'argent pour la mère supérieure de son couvent-abri. Il lui dira qu'il a reçu ce bijou d'une généreuse tante riche. Ou bien qu'il l'a trouvé dans la rue. Il ment comme il respire. Sa petite musique à bouche, ses mensonges et ses rires soudain. Rosaire est une tête heureuse et cela divertit Léo. Ce dernier, qui a eu le temps d'étudier les arts et les sciences en prison après l'assassinat de sa belle Suzanne, sait comment cultiver doucement la tête de son ami l'innocent. Il l'aide, le fait lentement progresser. Aussi, Rosaire aime Léo comme il aurait aimé son papa si le vieil Amérindien ne s'était pas défilé à sa naissance.

Cette nuit-là, pas bien loin d'un Glass déchiqueté, ni Rosaire, ni Dastous, ni Léo ne savaient qu'une bataille meurtrière se déroulait dans les plis et les replis du mont Royal.

Léo a parfois besoin d'argent, il doit survivre et il a bien fallu qu'il s'organise. Il n'y avait qu'un seul moyen, le vol. Aussi, on le voyait souvent la nuit en train de faire le repérage méticuleux d'une riche demeure des environs, un Arsène Lupin égoïste.

L'été, le vol, c'est plus facile. Les richards s'en vont en vacances. Chalets cossus dans des campagnes environnantes ou, mieux, exils temporaires loin, à l'étranger, Grèce, Portugal, la Provence. La Nouvelle-Angleterre aussi. Peu importe où ils vont se mettre à l'abri des chaleurs tropicales de ce drôle de pays, arctique l'hiver, Léo en profite. Les mini-châteaux de Westmount ou des hauts d'Outremont sont souvent des musées de trésors. Parfois, Léo garde pour son bel abri quelques jolies pièces. Dans ce vivoir sous terre, on serait étonné d'y voir des choses d'une valeur énorme, des tableaux de prix mais aussi des bibelots précieux: ivoire, bronze, argenterie, voire de l'or. Topaze, rubis et lapis-lazuli. Léo a obtenu un savant manuel et il sait tout sur les systèmes d'alarme. C'est un jeu pour cet esprit brillant de les défaire, de les réduire au silence total lors des effractions boulevard du Mont-Royal, du chemin Circle au belvédère de Westmount. Pour grimper, pour passer par un soupirail, il a son nabot dévoué, Rosaire. Pour le guet, il a Dastous, nerveux, vif. Pour cogner sur une résistance inattendue, il a son musclé colonel Bédard. Les mousquetaires du mausolée ne sont pas aussi honnêtes que ceux du vieux cardinal Richelieu. Quoique…

* * *

Charles Asselin donne son opinion puisque qu'on la lui demande.

— Oui, il faut, et très rapidement, faire coffrer tous ces militants du Village gay qui ont pris part à l'action sur la montagne. Il faut éviter l'anarchie, la loi des cow-boys.

Alors, la police a envahi complètement le quartier gay. Partout, il n'y a que des citoyens au-dessus de tout soupçon. Difficile de trouver des délateurs au sein d'une minorité accablée d'injustices diverses, on le sait. Dans la capitale, ministre et sous-ministre baissent le front, c'est la honte. On ignorait tout, en milieu policier, de cette affreuse milice, de ces *Grey Monkeys*, bien armés. C'est l'aveu, une fois de plus. Le public, enfant naïf aux mille têtes, découvre un monde clandestin qu'il n'imaginait pas.

Maintenant, les autorités policières, en grande réunion d'urgence, croient voir clairement la situation: il y avait donc ces paramilitaires du Nord-Est. Tout s'éclaire selon eux. Le juge Brault, les cavaliers des lions de bronze, les cadavres de Dollard-des-Ormeaux, compagnons atrocement mutilés, toute cette orgie sanguinaire n'a qu'un auteur, qu'une seule signature: Richard Glass, chômeur, demi-gangster, très occasionnellement mécanicien et pompiste. Le bon peuple peut respirer enfin. Éclaircissement bienvenu! Ce serait si pratique et si utile pour calmer les Montréalais. Plus personne d'un peu prudent n'osait aller prendre l'air sur la montagne, se promener au lac des Castors, au grand chalet du sommet, dans le joli sentier qui va de l'esplanade Camilien-Houde de l'est jusqu'à l'escalier vers l'avenue des Pins. Rassurés, les chefs de la police aimeraient pouvoir dire maintenant: «C'est terminé, braves gens, c'est du passé. Les coupables sont connus, une bande de fanatiques de Rivière-des-Prairies.» Mais non, rien n'est donc jamais simple. C'est enrageant. Très fâcheux quand, soudainement, Dubois, un jeune prof d'histoire et de littérature, se pointe chez Asselin pour avouer: «Le juge Jacques Brault, le crucifié, c'est moi qui ai passé la commande.»

Asselin ne bronchera pas. Il s'est levé calmement. Il sait bien, à son âge, que tout est complexe dans la vie. Tout. Comme ce récit que le professeur débite avec des sueurs au front, des bégaiements, des tremblements. Une histoire d'amour. Il aimait le «commercial» Blais, celui qu'on avait accusé du meurtre d'un juge, Jean Raymond, collègue du crucifié. Rhéal Blais, ce «commercial», beau garçon perdu que ce prof romantique voulait réhabiliter, instruire. Vieille histoire. Pygmalion tout dévoué à

58

Galatée. Or Rhéal Blais n'avait pas tué le juge Jean Raymond. C'est le juge Brault, homo honteux, caché en placard, inquiet, pressé, énervé, qui avait jeté en prison pour longtemps le grand amour du prof Dubois. Devant un Asselin toujours curieux de mieux connaître l'âme humaine, Dubois n'en finit plus de raconter son projet détruit: métamorphoser une petite pédale de la rue Saint-Laurent en un jeune homme cultivé. Les romantiques, c'est connu, veulent toujours sauver les putains. C'est vieux comme Balzac, comme Dostoïevski. Un soir, le prof de littérature a bu. Trop. Il est allé à cet appartement de La Cité dont lui avait parlé Rhéal Blais qui se criminalisait davantage en prison, et il a frappé. Dubois avait payé deux pégrieux dans un Cage aux Sports de Laval pour crucifier Brault, ce juge hypocrite, après l'avoir fait découper, cet amateur de voyous violents.

Quand cette histoire du juge crucifié et du prof sort dans les médias, la suite ministérielle à la Justice en a le caquet très bas. Cela aurait été simple si... On craint maintenant que les cavaliers des lions de bronze soient le fait d'une autre bande que celle de Glass, recherchée partout. *Idem* pour les compagnons sanguinolents imposés à Dollard. Ça va mal au ministère de la Justice, ça va mal aussi du côté de l'opinion publique. L'enquête va vite mal tourner si on veut dissocier les morts du monument à Cartier et ceux du parc Lafontaine. Les miliciens de ce rouquin irlandais recherché se taisent sur les lits surveillés des hôpitaux. Il faudrait la torture et, en nos contrées civilisées, la torture n'existe pas.

Dans la cuisinette du blockhaus sous le mausolée, Léo répète «non» à Bédard qui cherche une cachette à toute épreuve pour Dick Glass que le complaisant docteur héroïnomane, Cardinal, a rafistolé.

– C'est trop risqué, cher colonel. Je ne peux pas me permettre de revenir à la vie, je suis un noyé du pont Jacques-Cartier, oublié de tous.

Rosaire rit, deux fois et, constatant le désarroi du colonel, propose.

– Si je racontais à mes bonnes sœurs que votre Dick Glass se nomme comme moi, Lalonde. Je dirai que c'est mon cousin, Richard Lalonde, qu'il revient d'une réserve du Yukon, qu'il est mal pris, hein? Elles accepteront que je le garde dans ma chambre. J'ai de la place, colonel!

Le colonel respire. L'apiculteur veut protester. Le risque est grand. Le colonel grogne très fort et Léo se tait, alors Bédard s'en va, content. Il va délivrer son zélé Glass de la cachette qu'il lui a improvisée au 4185 Côte-des-Neiges: un grand placard inutilisé, cadenassé. Dastous a pressé contre lui le généreux Rosaire. Celui-ci a ri. Dastous le félicite. Dastous l'aime beaucoup ce petit bonhomme toujours de joyeuse humeur, ce noiraud aux traits virils, Mohawk par son père. Il en rêve parfois et en a honte tant il se morfond de désir refoulé. Rosaire, lui aussi, nourrit une amitié à part pour cet ex-fils de famille. Il s'amuse sans malice de ses manières d'aristocrate, se moque volontiers de ses moues enfantines. Souvent, il a su déceler une très grande tristesse, un sombre voile dans le regard d'André, fils à maman vieillissant et fou des animaux. C'est que Rosaire est de moins en moins aliéné, résultat du bon ouvrage de Léo, de la patience de Léo. Il y a longtemps, il vivait dans une grange à moitié démolie, loin du village d'Oka, c'était son abri à lui, autrement moins bien aménagé que le souterrain de l'apiculteur. Il y passait trois saisons sur quatre. Les moines de la Trappe d'Oka, ses voisins, lui donnaient des ouvrages faciles et un peu d'argent pour les corvées aux champs ou au monastère. Un jour de printemps, il a dû quitter la grange ruinée, le proprio l'avait vendue à un jeune rêveur de la ville et ce dernier tentait de la transformer en théâtre-centre culturel. Rosaire, errant, perdu, prit un coup de «petit blanc» de trop et il alla assommer cet intrus. Il avait failli le tuer. La prison pour lui aussi comme pour les trois autres mousquetaires. C'était une sorte de lien cela.

Le Rosaire d'antan ne savait pas parler, ne savait pas s'expliquer, il n'avait que ses rires hoquetés, sa musique à bouche, sa guimbarde. Que sa solitude. Qu'une mère à demi folle et vagabonde avant la mode de l'itinérance. On l'avait vue, sa maman, à la télé, un soir d'hiver, couchée sous de hauts sapins enneigés, sur un tertre derrière la Place des Arts. Rosaire ne se ressemble plus, il a évolué, il ne fesserait plus à coups de planche cloutée un jeune rêveur qui lui prendrait une grange ruinée. C'est fini l'ancien Rosaire. Comme c'est fini l'André Dastous qui défenestrait son petit ami parce qu'il le quittait pour faire un mariage d'argent. Comme c'est fini un Gilles Bédard cognant sur n'importe quel suspect après la mort de sa tendre moitié. C'est fini aussi Léo l'ancien, Léo le jeune, je veux dire, celui-là qui ose noyer sa jeune maîtresse Suzanne parce qu'elle a couché avec un vieux producteur libidineux. Le temps a passé.

Rosaire est bien moins fou et le colonel est bien plus fou.

André aussi est plus fou d'une autre manière, car voilà qu'il parle de ramener un couguar ici même, un couguar qui a attaqué un cycliste, qu'il faut analyser en laboratoire, qu'il faut étudier deux ou trois jours et qu'on abattra n'ayant plus rien à en tirer. Dastous implore. Ça recommence pour Léo, c'est lui, le clandestin, et il doit dépanner ses acolytes, le monde à l'envers!

– Tu verras Léo, une superbe bête, elle m'écoute, m'obéit déjà. J'ai le don pour les animaux. Le couguar n'a rien fait de mal, il a été couguar c'est tout! Il faut le sauver. Je te l'amène demain soir. Je vais t'aider à agrandir la cage qu'on avait faite pour les deux renards qui sont morts ici.

Léo regarde attentivement ce Dastous et il est ému par tant d'amour des animaux, il en est bouleversé voyant très bien la détresse de son ami pour un fauve qui a mangé un veau près de Waterloo et qui a mordu un cycliste trop présomptueux.

L'apiculteur aime ceux qui aiment. Il hésite et finit par consentir.

– On peut essayer. Si ça présente des difficultés, on le relâche dans une forêt d'où il vient.

– Ça ferait une sorte de mascotte pour le colonel un jour! Il aime tellement se promener avec son berger allemand. Avec un couguar en laisse, pas vrai, il en imposerait notre chef?

– Bédard n'est pas mon chef, glisse seulement Léo.

Si Asselin savait. Si le détective pouvait les voir, une belle nuit, assis ensemble les quatre repris de justice, jouant au bridge comme quatre bons petits bourgeois paisibles. Léo taquinant le colonel, sortant des phrases de philosophes profonds qu'il a eu le temps de lire dans sa prison. S'il voyait Dastous se levant sans cesse pour aller vers le mini-zoo nourrir ses bêtes, vrai saint François! S'il pouvait voir Rosaire, concentré sur ses cartes, mauvais perdant, parfois sauvage rétif, parfois docile et pourtant capable de rebuffades subites entre deux éclats de rire intempestifs, inexplicables. Voir enfin ce colonel, ses lubies, ses espoirs, démesurés d'un monde meilleur, sa hâte du grand soir, quand le monde basculera vers le bon sens, l'ordre, la moralité nouvelle.

Le plus beau de cette journée, après une nuit aussi horrible, c'est Maria. Un miracle! On n'en revient pas à l'Hôtel-Dieu. Elle a pu se lever, elle a pu se mouvoir un peu, en se tenant, bien entendu, après les rebords des lits de la chambre. Elle va marcher, elle le dit à tout le monde. C'est vraiment un mystère pour les médecins. On a refait des radiographies, oui, c'est tout à fait comme un miracle que ces os des jambes qui, si vite, se ressoudent. Maria répète qu'elle a la foi si dure, qu'elle a prié Notre-Dame de Fatima, sa sainte à elle, sa bonne patronne, son guide depuis qu'elle était une enfant malade des bronches, condamnée, et que sa maman l'invoquait sans cesse. Maria veut tellement guérir et traverser le parc Jeanne-Mance, revenir chez les DeSereau et aller cueillir des fleurs sauvages au-delà de l'avenue McCulloch, revoir ce géant déguisé en apiculteur qui a un visage de porphyre et qui pourrait peut-être s'en remettre entre les mains du prodigieux docteur Alain Grandbois.

Est-ce cela, cet amour fou, insensé, cet espoir bizarre, qui l'a soignée si vite? Est-ce sa foi de charbonnier? Est-ce cette détresse extrême qu'elle a vue dans les yeux de ce masque de granit qui fait qu'elle a voulu marcher? La force de l'amour? On sait tant que cette foi peut déplacer des montagnes. L'Évangile a raison. Maria Micone veut revoir la face de marbre sanglant et lui dire qu'il y a de l'espoir.

Elle sait déjà, ce midi, qu'elle le retrouvera. Elle le sait, c'est tout. Elle a su des choses parfois sans savoir les expliquer. C'est une fille toute simple et elle n'est pas encombrée, son esprit est un esprit très libre, celui d'un oiseau de magie.

Léo ne sait rien de ce miracle. Mais il pense de plus en plus à cette jeune beauté brune rencontrée par hasard et qui ne s'est pas sauvée en criant, découvrant sa tête de monstre. Il a envie d'aller la voir, à l'hôpital, en apiculteur. Il résiste, il y a tant de sang partout dans les actualités, ce n'est pas le bon moment pour faire une sortie. La ville grouille de policiers sur les dents.

Il regrette le vol chez les voisins des employeurs de Maria. Il regrette bien davantage de l'avoir poussée dans l'abîme pierreux près du vieux *look-out*.

5

L'inspecteur Asselin saurait faire parler un rocher. Il a su faire parler Maria. Au début de sa visite, la jeune femme était méfiante. Il tournait autour du pot.

– C'est entendu, vous êtes tombée par distraction, mais tout de même, essayez de vous souvenir, avant votre chute, aucune rencontre, personne?

– Bien... Oui... Bien sûr. Il y a toujours des promeneurs qui prennent ce sentier de la montagne au bout de l'avenue McCulloch, des inconnus.

– Je vois, et aucun d'entre eux n'a fait attention à vous?

Maria n'est pas méfiante. C'est vraiment un cœur candide. Elle éprouve soudain le besoin de répondre qu'on la regarde, qu'il arrive parfois qu'on s'intéresse à elle, que, oui, un homme, un inconnu, peut fort bien la remarquer. Quoi? Elle n'est pas si laide, pas si pauvre, pas si anonyme ou inintéressante, alors elle dit:

– Oui, j'ai parlé avec un homme bien ce matin-là. Un chercheur. Un savant même. Oui, oui, un savant. Et il s'est intéressé à moi. À moi, une femme de ménage.

Ça n'a pas été long. Asselin a l'habitude. Il est malin. Il a vu la faille. Il s'y glisse.

– Il vous a dit son nom, ce savant?

– Ah non! Non. C'était une rencontre accidentelle. Il s'intéresse aux plantes, je suppose. Aux insectes. À tout. Il avait une sorte de salopette et un chapeau avec un voile, une sorte de filet à papillon, vous voyez?

C'était suffisant. Asselin, comme d'autres policiers, avait vu un certain dossier. Bien mince ce dossier qui parle d'un drôle de bonhomme, une sorte d'apiculteur. Un rôdeur bizarre avec justement un chapeau à voile et qui apparaît et disparaît. Furtivement. Il a vite compris que Maria avait vu ce fantôme. Ce haut gaillard qu'une vieille dame effrayée, l'hiver dernier, avait croisé dans un parc de l'Ouest, qu'un retraité avait croisé dans une ruelle, la nuit, il y a deux ans, au cœur du Vieux-Montréal. En tout, cinq témoignages. Fragiles. On y parle mollement d'une silhouette fantomatique, oui, presque d'une hallucination.

Asselin, au moment où il tirait les vers du nez de Maria, ne savait pas qu'il venait de mettre un doigt dans un engrenage terrible, que tout le bras, tout son corps allait y passer. Qu'il allait, bientôt, être happé par ce fantôme, cet apiculteur mystérieux. Il ignorait, dans cette petite chambre d'hôpital d'une éclopée du mont Royal, qu'il allait se retrouver sous terre, enfermé, mis en cage. Face à face avec un désespéré au visage dégoûtant. Lui, Léo le planqué.

Il a d'abord terminé en vitesse sa séance de questionnement au 212 de l'Hôtel-Dieu. Il est retourné à ce dossier mystérieux sur un apiculteur itinérant clandestin. Chaque fois qu'on avait signalé sa présence, c'était le lendemain, ou la veille, d'un meurtre resté sans solution. Il récapitulait les propos de Maria l'innocente. Un savant? Un chercheur? «Un homme gentil, poli, mais si triste.» Elle était sortie pour une brève promenade en face de la luxueuse demeure de l'un de ses patrons, le sénateur DeSereau. Elle allait marcher ainsi parfois dans ce sentier au bout de l'avenue McCulloch et il avait surgi subitement. Ces derniers mots invitaient l'inspecteur à vouloir se rendre dans ce secteur du boulevard du Mont-Royal. Il gara sa LeBaron en face de l'entrée du cimetière. Il voulait rester à pied. Rôder lui aussi. Observer les alentours. Sait-on jamais, ce fantôme pouvait bien être un de ces richards au coco fêlé, non? Un rentier désaxé jouant le savant mais guettant des proies à la Maria. Asselin marcha lentement vers cette avenue McCulloch. Loin derrière les grilles noires du cimetière, il aperçut une silhouette pressée, un petit bonhomme, tout court, maigrelet, nerveux lui sembla-t-il. Le nabot à la peau d'un bronze rougi semblait fuir, semblait très inquiet. Asselin se rapprocha de la clôture et il put mieux voir l'homme pressé qui tenait dans ses bras un animal. Un petit chien peut-être? Non, c'était un petit singe. Qui lui parut gris. Est-ce que, le soir, tous les singes sont gris? Le maigrichon en course et lui étaient tout à fait seuls dans ce secteur, le premier filant vers l'est, lui, Asselin, l'observant à distance.

Déjà derrière eux, le soleil se couchait. Après sa visite à Maria, Asselin avait voulu se changer et manger. Il s'était attardé assez longtemps à son bureau avec le léger et étrange dossier de l'apiculteur rôdeur. C'est ainsi qu'il avait fini par filer vers ce secteur assez tard. Trop de généreuse verdure printanière lui cachait l'homme au singe, il courut vers les clôtures métalliques pour mieux observer l'homme énervé, ne voyant pas une racine sortie de terre, Asselin chuta violemment, puis se releva en grimaçant et ce qu'il vit l'étonna: tout au fond du cimetière, près des grilles de l'est, un mausolée ruiné, et l'homme au singe, penché, qui fouille le sol du pied, ultra-nerveux, qui semble replacer une dalle. De plus en plus agité, il vérifie sans cesse si on ne l'aperçoit pas tout autour. Une girouette! Il pousse une porte vermoulue et s'enfourne dans le caveau aux pierres moussues. Asselin se dit d'abord que l'homme veut y cacher sa bête, ou qu'il pénètre dans ce monument abandonné pour y faire ses besoins, de là sa course? Quoi encore? Un fou? Un nécromane? Asselin se méfie toujours de sa trop grande imagination, même si elle a pu souvent le servir adéquatement; il lui doit probablement son statut enviable de détective «émérite». Néanmoins, il s'en méfie. Aussi, il reste là. Il attend. Il a une très vaste expérience de l'attente. Trente années de service dans la police ont exigé cette patience. Un Himalaya de guets interminables. Il se rapproche car il a entendu un bruit insolite, comme un feulement, une plainte étouffée. L'homme est-il en train d'égorger son singe? Il attend avec patience. L'homme s'attarde. Le temps ne passe pas vite, le détective s'est étendu dans l'herbe, sur la pelouse qui borde cette partie abandonnée de ce cimetière juif. Rien n'arrive et puis, au bout d'un quart d'heure, de nouveau le bruit de lamentations et le petit homme aux cheveux de jais, au teint doré, sort du mausolée. Sans son singe! Encore ses regards de méfiance aux quatre horizons, encore ce pas d'homme pressé. Il fuit. «Quoi faire?» pense Asselin.

Aller vite au caveau, y trouver peut-être un singe assommé ou mort étranglé? Il décide de suivre le maigrelet qui, maintenant, a ralenti un peu le pas. De loin, il l'observe qui sort du cimetière, qui marche moins vite sur le boulevard du Mont-Royal. Qui le traverse, qui, enfin, entre dans la vaste cour arrière du couvent des sœurs des Saints Noms de Jésus et Marie. Le petit bonhomme à la peau rougie finit par disparaître par une porte d'un bâtiment de service. Au moins, se dit Asselin, il saura bien où retrouver son homme au singe s'il veut le questionner. Maintenant, vite, le singe, le mausolée.

Tout va se gâter pour lui. Il pousse d'abord la porte du caveau de pierres. Rien. Ni singe, ni chien, pas un chat. Mystère! Il retourne dehors. Il examine tout autour. Il va où le nabot avait semblé gratter le sol du pied et voit la petite dalle, il la repousse du pied, elle a la forme d'un couvercle de ciment. Il se penche, soulève la dalle, voit une sorte de petit puits, on dirait un petit égout de jardin. Il y a une molette, une pédale de laiton. Il y appuie son pied. Cela s'enfonce. Et puis il entend le bruit, le feulement. Il entend, venant du caveau, le glissement d'un panneau quelconque. Il accourt. Il découvre un panneau qui a coulissé sur le plancher. Un trou, un vide, un escalier mal éclairé s'offre à lui. Il n'en revient pas. Il entend un bruit lointain. Le son d'un climatiseur? Ou bien quoi? Il n'en sait rien et a un peu peur. Avant de partir, il n'a pas pris son arme de service. Charles Asselin n'a jamais manqué de courage: il descend les premières marches et une musique se fait entendre, loin, creux, faiblement, un air connu, opératique, un chœur, du Verdi. Il est vraiment renversé. Il y a une sorte de portière, en cuir épais qu'il veut soulever mais au même moment, à sa gauche, une autre porte a coulissé et le voilà en face du fantôme, l'apiculteur mystérieux!

– Suivez-moi.

L'homme masqué d'un voile lui a fait un signe bref, il mesure plus de 1,80 mètre, la carrure d'un athlète, une voix qui commande fermement, un ton qui n'attend pas la réplique et il a une arme, pas son épée-manche de filet, non, un revolver. Un gros calibre muni d'un silencieux. Asselin le suit docilement. Il y a d'abord un couloir étroit et qui fait un angle après quelques pas. L'homme lui jette de petits regards comme pour s'assurer que son hôte indésiré ne lui fausse pas subitement compagnie.

Mais Asselin n'a nulle envie de s'échapper, à la fois très surpris, absolument fasciné et aussi très inquiet. On serait nerveux à moins. Voici maintenant qu'ils entrent dans une sorte de petit hall, rond portique orné de livres aux reliures parfois luxueuses. Il y aperçoit des titres divers, livres de médecine, de biologie. Aussi de philosophie. Et des livres sur les oiseaux, les papillons, les insectes, des livres sur les minéraux. Des encyclopédies. Le policier ignore, dans ce vestibule en rotonde, que tous ces volumes furent volés dans les riches logis des alentours. L'homme au revolver lui fait signe toujours de le suivre, pour aboutir dans une sorte de salon, vivoir exigu, d'où il peut voir, à gauche, une minuscule chambre à coucher, à droite, une cuisinette remplie d'appareils modernes dont le four à micro-ondes. Il n'en revient pas.

– Mais, diable! qui êtes-vous? Pourquoi vivez-vous caché sous terre?

L'homme masqué le pousse rudement vers un troisième couloir étroit. Il y a des cages, c'est le zoo de Dastous, le zoo de la grande âme. Il y a des chiens, des chats, des singes, des rats, quelques bêtes malades qui semblent se traîner, des ratons laveurs. Il y a dans la plus grande, apparemment la plus solide, un couguar, sans doute celui dont les journaux ont parlé il n'y a pas longtemps. Asselin voit une cage vide aussi et ce sera pour lui. L'homme l'y pousse et puis cadenasse sa cellule. Asselin, à travers les barreaux de bois poli, allonge un bras et lui tire la manche d'un geste raide.

– Ne partez pas tout de suite, dites-moi seulement qui vous êtes?

Léo qui s'éloignait s'arrête un moment. Il semble hésiter. Répondre quoi? Raconter sa vie? L'attentat? Son désespoir? Inutile. Alors, l'inspecteur lui dit:

– Vous êtes ce fantôme dont les journaux ont parlé trois ou quatre fois? Vous êtes l'apiculteur, non?

Léo s'éloigne. À quoi bon approuver ou désapprouver. Il doit plutôt, et vite, décider s'il faut le tuer. Puis le mettre dans un grand sac et plus tard, cette nuit, avec l'aide des «mousquetaires», aller le jeter dans cette carrière abandonnée, dans cette fosse, pas loin, la même où il avait poussé cette belle Maria à qui il pense sans cesse malgré lui.

Il lui arrive désormais de ne plus avoir envie de vivre. Plus que jamais il n'arrive pas à supporter ce visage grossier, inhumain. Il avait simulé un suicide pour rompre. Avec quoi au juste? Avec les autres. Les vivants. Maintenant, depuis sa rencontre avec, non seulement la beauté et la jeunesse, mais avec la bonté alliée à la candeur, il se sent perdu. Non plus pour les autres, c'est supportable, mais perdu pour lui-même, à ses propres yeux. Cet homme de police qui est là, en cage, dans sa station de métro très particulière, Léo sait qui il est. Il a appris depuis longtemps, par les journaux, par les nouvelles télévisées, qu'il est son ennemi personnel. C'est celui qu'on a surnommé l'as-Asselin. Il a lu, comme tout le monde, que les autorités l'ont de nouveau tiré de sa retraite parce qu'il a été le meilleur si longtemps et qu'il faut vite calmer l'opinion publique très agitée par les carnages récents. Comment a-t-il pu trouver? Comment a-t-il fait pour dénicher sa cachette souterraine? Maria? Elle a parlé? Elle a craqué? Léo sait bien qu'en ces temps modernes, les moyens raffinés de la police actuelle peuvent venir facilement à bout du plus récalcitrant des suspects. Alors, venir à bout d'une jeune femme naïve, rien de plus facile sans doute. Mais il n'en voulait pas à Maria puisqu'il l'aimait.

Oui, il l'aimait. Il fallait bien qu'il en prenne conscience. Il s'était cru, depuis le fatal bain d'acide, au-dessus des sentiments humains. Bien au-dessus des émotions, des sentiments humains. Bien au-dessus des émotions, des niaises émotions amoureuses. Depuis la douche des doubles acides par le collègue enragé Malik, il avait décidé de jeter, par-dessus bord de son âme, cette nécessité pour les gens normaux, l'amour. Il a du mal à comprendre: une jeune fille plutôt simplette, une créature apparemment si ordinaire. C'était quoi cette attraction immédiate qu'il avait éprouvée pour elle, si forte qu'il avait voulu la rayer, tuer dans l'œuf cette émotion pour rester fidèle à ses serments d'homme laid?

Léo enlève son chapeau à voile et, résolument, se plaque devant la cage d'Asselin.

– Qui vous a dit? Qui a parlé? Comment avez-vous pu trouver?

Asselin, ahuri, assommé, ne peut plus dire un seul mot et regarde ce que ses yeux ont peine à concevoir. Non seulement vient-il de vivre un grand étonnement en découvrant ce bunker inusité, cet appartement inimaginable à quelques mètres sous terre, avec ses plafonds soutenus partout comme dans une galerie de mine, ses murs tapissés, ou lambrissés de restes divers, ces meubles disparates, cette riche brocante hétéroclite, maintenant il lui faut regarder en face un visage d'homme qui tient du cauchemar, des films d'horreur. Ce visage minéral qui lui pose des questions. Est-ce bien le visage d'un homme? Il a des mains, un torse, des jambes, mais cette bouche tordue sans lèvres, qui s'articule difficilement, est un trou dans un bloc de marbre pulsatif. Un marbre mou, pierre vivante. Ce regard pourtant lui semble encore celui d'un être humain, bien plus, il y décèle une sorte de totale tristesse qui le trouble. Cette voix, éraillée, rauque, est tout de même celle de quelqu'un qui comprend tout, qui a tout vécu, qui a tout souffert, c'est la voix d'un homme brisé, d'un homme désespéré, revenu de la mort, en sursis.

72

– Vous êtes ce jeune chercheur sur qui on a versé un seau d'acide dans un labo de l'université, n'est-ce pas?

– Oui. C'est moi.

– Vous avez sauté du pont Jacques-Cartier après y avoir laissé un message d'adieu. Un faux suicide?

– Oui, faux suicide. Qui vous a dit pour mon repaire, ici?

– Personne. C'est un hasard. Maria Micone m'a seulement parlé de votre rencontre du matin, elle m'a parlé de ce site, de l'avenue McCulloch, des grilles du cimetière.

– Elle vous a dit que j'ai voulu la tuer, n'est-ce pas monsieur Asselin?

– Non. L'avez-vous poussée dans ce ravin?

Léo se tait. Ne pas trop parler. Ne pas tout dire. Il sait bien que c'est la règle quand on est du côté des mal nés, des malchanceux, des déjetés de la société, alors il se tait, marginal parmi les marginaux.

– J'ai vu un petit homme avec un singe qui se dépêchait et je l'ai suivi. C'est tout.

Léo maudit Dastous et son valet fidèle, l'innocent Rosalie, lui et sa hâte de toujours mettre à l'abri le cobaye menacé. Tant pis pour ce détective. Il devait tuer encore. C'est si facile. Juste une balle. Dastous, qui se sert sans cesse de Rosaire pour ses commissions, l'enverra prévenir le colonel et, ensemble, ils verront à aller jeter la dépouille d'Asselin dans cette sablière de Saint-Télesphore où déjà ils ont enterré pas mal de cadavres encombrants. Pourtant, il hésite. Il n'est plus le même. Il a besoin de savoir.

73

– Pourquoi Maria n'a pas tout raconté à mon sujet?

– Parce qu'elle vous aime, monsieur.

Asselin avait l'instinct de savoir toujours quoi dire, à qui et à quel moment. Il savait que cette petite Maria était un être hors du commun. Il avait deviné juste.

Léo est mal et il a mal. Il va et vient. Asselin cherche comment en apprendre davantage. Il n'y a pas de temps à perdre.

– Vous avez de la chance, le savez-vous? Cette jeune femme vous aime.

Le monstre est touché. Il est atteint. Blessé. Il tourne en rond dans son vivoir, dans la rotonde-portique, dans sa chambre et dans la cuisinette. Il touche à ses livres dérobés dans les beaux logis des voisins. Il regarde des photos. Il examine son babillard où il a fiché des coupures de presse. L'histoire illustrée du couguar rôdeur en Estrie qu'on a capturé et que l'université veut examiner avant de le tuer. L'histoire des raids: celui de Dick Glass qui vit caché au sous-sol des sœurs avec Rosaire. Il regarde les photos des journaux, tous ces cadavres! Tant de morts! Il se sent coupable. C'est lui, après tout, qui a enseigné son pessimisme corrosif à Bédard. Il avait voulu lui inoculer sa haine du monde. Car il y a chez Léo une part très noire, la part du mauvais ange. Elle se trouve toujours dans tout être qui a un peu vécu. C'est un poids. Bien lourd parfois, énorme chez les malchanceux du sort comme Léo. C'est une drôle de pierre. Où? Au foie? Au cœur? Aux reins? Je dirais à l'âme. Une ancre à se damner, plus qu'une pierre. Et alors l'esprit en est affecté, c'est cette roche de noirceur, faite de l'accumulation des déceptions, des affronts, des échecs subis, des chagrins tus, c'est elle cette carapace obscure qui fait sombrer dans la mort. Cuirasse sordide, elle peut n'être que grincements

74

de dents, cris sourds, clameurs vaines ou menaces stériles, mais aussi elle peut faire agir: tenir la main qui tue. Assassine. Asselin, même lui, connaît bien cette part des ténèbres. Il a la sienne. Il le sait. Il a réussi à retenir sa force. Pas Léo. Pas Gilles Bédard. Pas André Dastous, ni même l'innocent Rosaire quand il a frappé pour tuer dans cette grange à Oka. L'apiculteur connaît bien la puissance de ce démon à nos côtés dont la Bible fait si souvent allusion. Il a peur et regrette son sinistre ouvrage de prédicateur misanthrope d'un monde pourri, d'un monde juste bon à terroriser. Il voit par ces photos son œuvre. Un ouvrage de mort dont les sinistres fruits s'épanouissent depuis quelques jours surtout.

Il est tard. Très tard pour lui, pour se reprendre. Jamais il n'aurait pu deviner qu'il y aurait soudain une lumière dans sa nuit. Cette simple servante. Une jeune femme inimaginable. Maria. Une jolie domestique avec une âme rare. Comment pouvait-il prévoir qu'un jour, par hasard, pas loin de sa tombe, il rencontrerait... Quoi donc? L'amour! L'inspecteur vient de le lui répéter, l'amour!

– Savez-vous bien ce que vous dites? À qui vous parlez?

– Oui, je vous vois. Je sais qui vous êtes. Je connais votre histoire. J'étais conseiller des enquêteurs dans votre affaire de plagiat et de vengeance, de suicide à la fin. Je sais aussi qui est cette femme. Je l'ai fait parler longuement. C'est un ange de bonté et sachez que cet ange remercie le ciel de vous avoir mis sur son chemin. Jamais elle ne vous dénoncera, soyez tranquille là-dessus.

– Asselin, vous me voyez? Comment expliquer pour... cette femme?

Asselin lui parle doucement. Il est bien plus vieux que ce défiguré. Il a eu, parfois, à déchiffrer des cas si bizarres. Des assassinats aux motivations renversantes. Il lui dit ce qu'il croit: une Maria certainement terrassée d'abord à sa vue, face à un tel monstre, et puis, le choc absorbé une sorte de fascination. Maria? Une femme d'un modèle bien plus courant qu'on croit chez les misogynes. Une femme qui veut sauver, qui souhaite ressusciter le désespéré, changer une existence de condamné. Il en a déjà croisé des femmes au dévouement fou, excusant les pires salauds, fréquentant avec douceur les plus violents des hors-la-loi. Pour Maria, il y a eu devant elle un homme unique, singulier au paroxysme, un être humain au destin atroce. C'était suffisant pour réveiller chez elle ce vieux besoin d'absolu, cette tendance des âmes pures à vouloir soulager la plus cruelle des épreuves, la pire des désolations.

— Oui, vous êtes chanceux, cette femme fera n'importe quoi pour vous venir en aide.

Léo s'est calmé. Voilà que, pour une toute première fois, il sent poindre tout au fond de lui une fragile musique de paix, une toute petite paix fragile. Et il trouve ça si bon. Pour la première fois, le granit ressent une mince lumière, un rai lointain qui grandit. Il sent, qui recule, l'ange de mort, ce fardeau de noirceur, de pesante turpitude, qui enfin se dénoue un tantinet, se défait, se désagrège. Oui, il va sortir d'ici. Il veut sortir. Il souhaite sortir des ténèbres. Il a envie de quitter sa tanière, d'aller marcher dans la ville à visage découvert, malgré les cris d'horreur, de proclamer qu'il veut redevenir libre, qu'il veut aimer et être aimé, lui aussi, même lui!

— Faites-moi sortir d'ici et je vous donne ma parole de policier en autorité que nous pourrons arranger les choses.

Léo se réveille. Si c'était un piège? Il sait les malices de cet as des inspecteurs de police. Oui, c'était sans doute une astuce. Lui jouer la carte «une femme vous aime» et le faire ramollir, le faire s'écrouler. Il ferme les poings. Il quitte le mince corridor du zoo minuscule. Hélas, il tourne le dos au réel, car Maria aime vraiment cette image effarante d'un homme au regard sombre, à la voix brisée, d'un homme qui n'a personne au monde et qui pourrait avoir «elle», elle qui le sauverait de sa propre mort, qui saurait le regarder sans rougir, sans honte. Et on sait bien que Maria espère énormément en cet expert de l'hôpital, le docteur Grandbois, mais elle s'est déjà jurée, qu'en cas d'échec, elle saurait l'aimer. Ainsi, elle serait la seule, unique au monde, capable d'aimer un être à tête de gargouille. Enfin, elle serait unique.

Asselin tente d'épier du fond de sa cage. Le couguar a été certainement examiné et même bourré de médicaments car il est endormi, semble un moribond comme on en voit parfois dans des jardins zoologiques mal tenus, une bête presque livide. Il devine facilement que cet homme au visage de granit a de l'aide. Des amis peut-être. Des alliés subjugués par son infirmité. Des collaborateurs pour sa retraite sous terre. Il arrive mal pourtant à le croire responsable des tueries récentes qui agitent toute la population. Un je-ne-sais-quoi fait qu'il est empêché d'imaginer ce monstre tapi sous un cimetière comme étant l'organisateur de ces macabres et récentes expositions, celle du monument ailé au pied de la montagne, puis celle de Dollard-des-Ormeaux. Enfin, de l'horrible hécatombe de jeunes skinheads quand les gays montèrent à l'attaque nocturne antifasciste.

Il souhaite ne pas se tromper sur ce Léo qui écoute de la musique pas loin de sa cage cadenassée. Il a parlé tout seul. Longuement. En silence, il est venu le voir. À plusieurs reprises. Il l'a même fait sortir de sa cage pour le conduire dans une minuscule mais bien organisée salle de bain. Asselin a voulu le faire parler, lui faire raconter l'ahurissante construction de ce condo souterrain, mais

Léo se méfiait et parlait peu. Il a donné de maigres informations, succinctes, mesurées. Il lui a parlé des mois d'efforts. Des problèmes soulevés. Pour l'électrification, l'aération, l'hygiène. Enfin, il a surtout voulu savoir ce qui l'attendait s'il sortait, s'il renonçait à cette prison consentie.

Léo a préparé un repas supplémentaire pour son hôte emprisonné et Asselin fut étonné de si bien manger. Léo lui a révélé qu'un allié secret lui apportait des victuailles et qu'il a toujours pu s'alimenter très convenablement. Asselin admire presque cet ermite volontaire, il découvre vite qu'il a affaire à un cerveau supérieur et, en même temps, il se dit que, oui, il est possible qu'un tel cerveau soit celui d'un détraqué. Qu'il puisse, tel monsieur Hyde, nuitamment, être le manipulateur des crimes perpétrés récemment. Ensuite, il se ravise. Puisque cet homme, enterré vivant, lui parle de sortir un jour, le questionne sur ce qui lui arriverait... Asselin se perd en conjectures.

Quand vient la nuit profonde, la première heure noire d'avant le petit matin, Asselin entend la voix d'un homme bourru, nerveux. La voix du colonel.

— Je suis perdu, Léo. J'ai perdu le contrôle de mes jeunes miliciens.

— Je le sais. Depuis longtemps que je le sais, Bédard.

— Je ne contrôle plus rien Léo, et j'ai peur!

— Parle moins fort. J'ai un policier en cage!

Un silence se fait dans l'appartement.

— Tu parles sérieusement?

– Va voir. C'est le fameux Asselin, le limier des cas désespérés.

Un nouveau silence. Bédard ne tient pas du tout à se montrer au policier. De nouveau des bruits, crissements, portes qui coulissent et puis les pas dans la rotonde et une voix, de fausset cette fois.

– Salut, salut! Mes amis les bêtes vont bien? J'ai de la nourriture.

– Tais-toi, André. Il y a du nouveau.

Le colonel lui a plaqué une main sur la bouche.

– Quoi donc?

Asselin entend qu'on explique à ce nouveau venu sa présence: Charles Asselin, détective-expert. Un silence de plus. Pesant. Inquiétant.

L'inspecteur écoute de toutes ses oreilles les chuchotements.

– Tu veux que je m'en occupe, Léo? C'est ça? Que je te débarrasse?

C'est la voix rauque du premier arrivé.

– Rosaire aidera comme d'habitude, monsieur Dastous ne se salit pas les mains, lui.

– La carrière est assez vaste pour en recevoir encore un million.

Asselin entend pour la première fois le petit rire en cascades de Rosaire qui vient d'arriver. Les quatre repris de justice sont ensemble, une fois de plus, une nuit de

79

plus. Les quatre mousquetaires du mont Royal. Rosaire dit qu'il a entendu, à la radio, la nouvelle d'un inspecteur émérite dont on est sans nouvelles depuis des heures. Tous les corps de police seraient maintenant sur un pied d'alerte.

Énervement. Léo monte le ton.

— Allez-vous-en. Laissez-moi seul. Je veux réfléchir.

Gilles Bédard, lui aussi, monte le ton.

— Non, non! Il faut vite se débarrasser de lui. C'est dangereux pour nous trois, pas seulement pour toi, Léo. Pas d'hésitation, je m'en charge. Passe-moi ton arme, vite!

Il semble à Asselin qu'il a entendu le déclic d'une arme qu'on charge.

— Pas de réplique! Partez tous les trois! Je veux réfléchir, je vous ferai signe, ma décision sera prise avant l'aube, vous me connaissez.

— Léo, je te répète qu'il ne faut pas hésiter, tu cours des risques énormes chaque minute que tu laisses passer.

— Quand tu reviendras, Bédard, il n'y aura rien d'autre à faire que d'enlever le cadavre. J'aurai agi.

Le trio part. Les anges de la mort sortent avec eux.

Léo a une idée: libérer Asselin et puis sortir pour toujours de sa cachette. Essayer ensuite de retrouver Maria, ne pas rater une chance qui, jamais plus, c'est probable, ne se représentera. Il rêve à ses beaux yeux sombres, à sa peau rose, à sa bouche pulpeuse, à ses cheveux libres, fous, à sa voix si douce, si douce... Oui, sortir enfin de son trou, redevenir, si possible, un être vivant, ne plus être ce renard archi-prudent, ne plus avoir à se méfier sans arrêt, ne plus devoir sans cesse guetter le moindre bruit. En finir avec la fréquentation d'un fou, d'un cerveau brisé qui mène des activités paramilitaires dans son vieux manège militaire de la Côte-des-Neiges, d'un maniaque des bêtes perdues, d'un innocent pervers et idiot.

Pendant qu'il jongle, Léo ignore que, dehors, pas si loin, dans la nuit la plus noire, sans lune, sans aucune lumière, Picard, l'autre favori du colonel, Furie à la peau grêlée, aux longs bras décharnés commande à sa douzaine de zélés une action répugnante. Demain, il le sait et il le souhaite, tous les médias vont parler du massacre au local du Big Black Panther, club de jeunes émigrants de la Jamaïque que la police soupçonne de trafic de drogues. Picard est fier de nettoyer les lieux, de faire mieux que la police, trop lente à son goût. Il va donner le signal de l'assaut. Il en bave de joie sauvage. En quelques minutes, il va y avoir dix jeunes morts. Dix! Dix Noirs. «Du monde sans importance», pense Picard-le-fou. Ses miliciens entourent le local du BBP et frémissent de plaisir, des couteaux pleins les mains, des revolvers aux ceintures. Ça va être le carnage sanglant au moment même où Léo, lui, se rapproche du policier en cage et songe à le libérer peut-être!

6

Les journaux d'aujourd'hui le crient en énormes caractè-
res: «NOUVEAU MASSACRE», la radio s'énerve, les télés du matin sont fébriles. Tout Montréal est en alerte.
Qui sont donc ces justiciers sanguinaires? Le ministre de
la Justice parle de faire appel à l'armée. C'est la panique
totale à l'Assemblée nationale. Certains ministres revien-
nent de vacances commencées trop tôt. L'été s'annonce
infernal. Juillet va venir bientôt et la ville ne pourra pas
prendre ses airs charmants, ses musiques, ses festivals
de toutes sortes. Le ministre du Tourisme est aux abois.
Toutes ces tueries font maintenant la une des médias pas
seulement au pays, mais en Europe et, hélas, surtout aux
États-Unis d'où viennent quantité de visiteurs, le tourisme
profitable.

Le milicien Picard est allé très loin dans l'horreur.
Selon la police, les membres du Big Black Panthers ont
été torturés, couvert de taillades, puis soigneusement ligotés, une douzaine de jeunes hors-la-loi, la plupart mêlés
activement dans le trafic des drogues dures. Picard et ses

zélotes, ensuite, ont mis le feu au local de ces contre-bandiers. Feu purificateur? Feu de joie pour les fascistes de Picard, émule du colonel Bédard. Favori parmi ses favoris. Il s'agit d'un incendie extrêmement bien planifié car, en peu de temps, ce fut le four crématoire, la cuisson totale avec peu de vestiges quand pompiers et polices s'amenèrent dès avant l'aube. Des restes insignifiants pour les enquêteurs. Ne restaient de solides que les murs de fondation de ce petit édifice de Côte-des-Neiges, ancien garage, près du chemin de fer qui court le long de la rue Jean-Talon.

* * *

Aussitôt échappé du bunker, Asselin est assailli quand il rentre enfin au bureau. Les questions fusent: «Où était-il? D'où sort-il?» Il va d'abord vers Dubreuil, c'est son patron. Il raconte l'incroyable: le monstre et son étonnant repaire, et comment il a pu se défaire de ses liens et s'évader. Comment il s'est fait bêtement prendre en voulant, seul et sans arme, examiner un mausolée louche, transformé en un logement singulier.

Le directeur Dubreuil, ultra-nerveux, chaque jour talonné, tourmenté par les chefs politiques, englouti davantage par les réclamations publiques face au nouveau massacre, décide d'organiser en vitesse une conférence de nouvelles très publique. Il faut vite calmer «l'opinion» surchauffée. Dès midi, c'est la cohue en face du mausolée du cimetière, une véritable petite foule de reporters s'agitent et s'étonnent devant la terrifiante découverte de cet abri insoupçonnable. Les photographes et les *cameramen* attendent, surexcités, l'ordre que Dubreuil, ayant achevé sa narration, va donner: «Vous pouvez entrer, messieurs dames des médias.»

Le lendemain, c'est un peuple abasourdi, vraiment renversé, qui découvre, à la télé et dans les quotidiens, la petite maison sous les pierres tombales. Asselin, qui déteste trop de lumière, est bien obligé de supporter un certain vedettariat: il doit raconter sans cesse. Parler en détail de cette fantastique trappe, de cet homme défiguré. «Le fantôme du mont Royal», a titré *Le Journal de Montréal*. L'inspecteur a dit tout ce qu'il sait: un jeune savant victime d'une crise de jalousie, arrosé par un ex-collègue se disant trahi, plagié, le bain des deux acides dans un labo de l'Université de Montréal, le procès, le verdict et la fuite. Enfin, le faux suicide et la construction patiente de cette tanière, devenant un logis commode et confortable. Le public va se rendre en foule au bout de l'avenue McCulloch, va envahir la partie abandonnée du cimetière juif, va exiger de visiter ces drôles de catacombes, uniques, cette cachette fabuleuse. La police est débordée. En quelques heures, ce sera l'organisation adéquate: on demande au public curieux, normalement excité par cette histoire, de réserver. Oui, de téléphoner à un certain numéro 1 800 pour obtenir une heure et un jour de visite. En ces temps de récession, en cette époque de restrictions budgétaires partout, eh bien, oui! la municipalité exige un prix! Dix dollars! N'empêche, rien à faire, ça marche car des centaines et des centaines de Montréalais, des touristes aussi, réservent. À la queue leu leu, on peut déjà les voir qui font le pied de grue, comme à un musée populaire. La porte coulissante désormais est gardée grande ouverte. Le mausolée du fantôme est une attraction ultra-populaire!

À son directeur, Asselin a tout dit: le moment où son geôlier est venu lui déclarer: «Je pars. Je m'en vais.» Le moment où il décidait de l'attacher le plus solidement qu'il a pu à une des colonnes de ce drôle d'appartement. Le moment où il a vu Léo poser au cou du couguar une laisse de chien. Le moment, enfin, où Léo, le couguar au bout de son bras, lui a dit: «Quand vous sortirez d'ici, ne parlez pas trop. Je pourrai vous revenir de façon surprenante.» Léo avait mis son chapeau à voile, son costume d'apiculteur. «Je dois fuir maintenant car si vous m'avez trouvé, les autres ne devraient pas tarder.» Du fond de sa grotte, Asselin l'avait entendu crier de l'extérieur: «Vous savez, la prochaine fois, le suicide, je ne le raterai pas.»

En fait, Léo ne savait plus rien. Ne savait plus s'il voulait mourir ou survivre. Ou tenter de retrouver cette Maria. Comment oser lui demander la vérité si jamais ils se retrouvaient? Il ne voulait pas lui dire: «Est-ce vrai que vous m'aimez?» Ou bien: «M'aimez-vous vraiment?» Il avait relâché les rats blancs, les ratons laveurs, les autres bêtes, un cochonnet d'expérience, des pigeons, un lièvre, plusieurs lapins, toute la bande des singes de laboratoire. Il les avait tous relâchés, même le couguar, et les a vus courir dans cette montagne au milieu de la ville. Les animaux avaient disparu pêle-mêle dans la nuit aussitôt que Léo avait ouvert les portes coulissantes de son repaire. Une fois dehors, le couguar, débarrassé de sa laisse, était resté près de lui. Léo avait éprouvé une sorte d'immense lassitude. Il avait songé un instant à sortir du cimetière pour marcher carrément vers l'avenue Ducharme au nord d'Outremont pour se livrer aux policiers du poste 32. La tête des agents en le voyant, découvrant ce visage de granit, strié! Non. Il alla au-delà de la clôture et marcha dans le sentier vers l'est, un fantôme vraiment.

Rien à faire, un visage le hantait. Celui de sa belle sorcière, celui de Maria. Comment aurait-il pu deviner que, pas bien loin, la jeune femme rêvait à lui, elle aussi. Elle imaginait le moment de sa libération de l'hôpital, sa marche hâtive vers la maison du sénateur DeSereau, et puis vers le sentier… L'espoir fou de le revoir, de lui dire: «Ne désespérez plus, un médecin fait des miracles pour les grands brûlés, je le connais, il accepte de vous voir, il y a de l'espoir!» Maria sentait que sa vie avait enfin du poids. Elle, qui n'était rien, devenait quelqu'un grâce à son secret. Elle était enfin une personne importante. Importante pour cet homme au visage de monstre, «ce fantôme du mont Royal» comme maintenant l'appelaient tous les badauds qui, partout, commentaient l'événement terrifiant. Toute la population marchait volontiers dans l'hypothèse du directeur Dubreuil: il était le chef des tueurs.

Rien à faire du côté de la police. Pressé par les gens du ministère de la Justice, par «l'opinion» énervée, le directeur Dubreuil avait été obligé de calmer tout le monde, de montrer que ses services n'étaient pas si impuissants. Alors, sans en parler à Asselin, il avait diffusé sa version d'urgence. Ce cerveau puissant, mais détraqué, avait organisé les massacres effrayants. Ça n'a pas été long, partout en ville, s'affichaient des dessins loufoques d'un apiculteur fou. Des caricatures horribles circulaient où l'on voyait un homme au visage voilé, armé jusqu'aux dents, couteaux et fusils, debout dans des ténèbres, jambes arquées et qui menaçait toute la ville. Le public revivait un cauchemar des temps anciens, aux temps des monstres appréhendés. Surtout, soulagement inespéré, il y avait enfin un suspect. Il y avait mieux qu'un suspect quelconque, il y avait un monstre, un savant désaxé, un fou furieux.

À l'hôpital même où Maria achève de séjourner, on voit partout des gardiens, des vigiles même la nuit. On ne sait jamais puisqu'une certaine dame, Maria Micone, a vu, de ses yeux vu, l'horrible tueur, a parlé au grand commandeur des orgies sanguinaires. Dubreuil a donné des ordres: interdiction pour elle de parler à qui que ce soit. Dans le hall de l'Hôtel-Dieu, on voit des envoyés de *Paris-Match*, du *Time*, ils font le pied de grue avec des collègues des médias de tout l'Occident.

Il est maintenant question de faire appel à la loi des mesures de guerre, à faire venir les soldats en ville. Pour soulager les forces ordinaires de l'ordre. C'est qu'une part de la population dérive, vacille, semble accepter comme quasi normaux les carnages des homos ou des Noirs. On peut entendre vociférer dans plusieurs émissions de tribunes téléphoniques de la radio: «Ces émigrants nègres sont des empoisonneurs de nos jeunesses avec leurs trafics de drogues importées!» Ou bien: «Les parcs de Montréal comme le mont Royal ne doivent plus être des lieux de débauche pour homosexuels.» Des journaux se remplissent peu à peu de témoignages dans le même sens, un mouvement ose se former qui proclame: «Nettoyage urgent à Montréal: dehors les marginaux!» Il y a eu une parade organisée et il y a eu quelques manifestations. Un jeune échevin, bien connu des milieux de la droite, n'a pas craint de paraître à la télévision nationale pour affirmer: «Ça se peut que les épurateurs soient des fascistes, il n'empêche qu'ils rendent service. Objectivement!» Dans la capitale, on s'inquiète grandement de tant de sympathie pour l'horrible «fantôme».

Les chefs des communautés noires sont atterrés. Il y a eu très peu de protestations le lendemain du massacre de Côte-des-Neiges. Un influent commentateur de télé est allé jusqu'à dire: «Je suis libre de parler, je n'ai pas une langue de bois, je me fiche de pas être "correct" politiquement; les leaders noirs ont trop toléré leur jeunesse dévoyée, débauchée, les pourrisseurs de nos jeunes à nous.» On a vu des tas de gens approuver ce genre de déclarations. Il y a, de toute évidence, un retour curieux d'une certaine intolérance. La pauvreté grimpante, le chômage à la hausse, l'état lamentable de l'économie a fait sans doute que de plus en plus de gens éprouvent une sorte de haine sourde, farouche envers les marginaux, les minorités quelles qu'elles soient. C'est tout cela qui fait que l'on panique en haut lieu. L'opposition, pleine de conservateurs revanchards, en profite et charge les régnants à fond de train.

Oui, on parle de faire venir l'armée en ville, de proclamer les mesures de guerre, une digue pour retenir les flots populistes.

C'est donc pour calmer l'opinion publique, que le directeur Dubreuil n'a pas hésité à suggérer que l'apiculteur du mausolée, le fantôme du mont Royal, était sans doute l'ordonnateur des massacres. Ainsi, on autorise n'importe quel agent de tirer à vue sur le monstre. L'apiculteur se cachera toute la nuit. Il va d'abord rôder dans les sentiers de la montagne, puis ira marcher derrière le chalet et jusqu'au lac des Castors, puis, avant que l'aube s'amène, l'aube avec la découverte du massacre chez les BBP, il va cogner à la porte du colonel. Les autres mousquetaires sont moins fiables? Rosaire héberge Richard Glass chez les sœurs, Dastous est au boulot à sa garderie d'animaux de l'université. Il n'y a que Bédard sur qui il peut un peu compter.

— Je peux pas le croire? Léo? Tu l'as laissé là? Tu l'as pas tué?

Le colonel n'en revient pas. Il tourne autour de Léo comme un chien fou. Il est hors de lui.

— Asselin finira par dénouer ses liens et il ira tout raconter, tu le sais?

— Oui, je le sais. De toute façon, Asselin disparu encore plus longtemps, ma cachette aurait été découverte tôt ou tard.

— Il fallait le tuer! Point final!

— Mais non. Toutes les polices étaient à sa recherche, tu devrais le comprendre. Je t'ai pas dit qu'il y a une femme là-dedans.

Alors Léo raconte ce qu'il nomme «sa bêtise», d'être allé à la rencontre d'une radieuse jeune femme qui ramassait des fleurs sauvages.

– Tu es fou ou quoi? Fallait pas y parler, Léo!

– J'ai eu un violent besoin de lui parler. Est-ce que tu peux comprendre ça?

Le colonel doit s'en aller. La nuit s'achève. Le matin se lève. Il lui montre le grand placard désert du sous-sol, là même où il a caché Glass. Il lui laisse une cafetière pleine, des biscuits. Il lui souhaite bonne chance, lui dit que dès son retour ce soir, il viendra le sortir de là et qu'il va penser à un autre abri: «Peut-être chez moi! Pourquoi pas?» Il va y penser. Il y a les voisins. Tant pis. Il part en lui disant qu'il va examiner comment lui aménager une cachette.

Bédard, lui aussi, ignorait tout de l'action funeste de Picard chez les Panthers de Côte-des-Neiges. Quand il découvre «NOUVEAU MASSACRE» à la une du journal du lendemain, il est ahuri. Il comprend encore davantage qu'il n'a plus de prises sur ses miliciens. Que certaines cellules s'aventureront à leur guise dans des initiatives d'une agressivité gratuite. Il prend conscience qu'il existe désormais une lutte de prestige entre ses apôtres favoris. Ainsi, Glass lui a avoué avoir agi pour l'épater dans sa razzia ratée du mont Royal, aussi pour prouver sa supériorité sur son rival Picard, l'autre chouchou du colonel. Bédard a peur maintenant, pour la première fois de sa vie, il a peur, il ne peut plus reculer, renier son action sur de fragiles jeunes esprits. Il se réveille. Il regrette quasiment d'avoir formé cette milice du diable, ces militants désobéissants et girouettes. Lui aussi a son diable, cet ange noir, cette pierre à l'âme comme on peut avoir une pierre au foie ou aux reins. Il a tant voulu venger sa vie ratée. Il a tant cru pouvoir nettoyer une société qu'il honnissait. Il a tant voulu venger l'amour de sa vie, sa belle Gaspésienne, sa Germaine assassinée bêtement. Maintenant, il pourrait s'entourer d'une centaine de jeunes féroces enrégimentés, mais pour quoi faire? Tuer sans cesse? Certes, il y avait d'abord des punks s'offrant volontiers, mais il s'était fait fort de les transformer en dociles paramilitaires clandestins utiles à la société. Le colonel tente de se calmer. Il se rassure, se console qu'une partie de l'opinion lui donne raison dans son projet, de nettoyer «la pourriture de la ville». Pourtant, il devine facilement que ces massacres à l'aveugle, sans son autorisation, vont faire que lui aussi sera recherché comme on recherche partout son ami le philosophe pessimiste, plus noir que lui, son ami le savant défiguré, son professeur, son prêcheur, son instructeur, son livre ouvert, son conseiller noir.

Cela lui donne une idée. Si ça va trop mal. S'il est sérieusement menacé, coincé, il y aura une sortie. Oui, aller dans le sens de la nouvelle actualité, celle qui clame: «UN SAVANT DÉFIGURÉ ET FOU ORGANISE LES RAIDS MEURTRIERS», qui répète: «MASSACRES DES PARCS: L'OUVRAGE D'UN MANIAQUE ENTERRÉ VIVANT». Bédard baisse la tête. Il referme la porte de son appartement minable. Il a honte. Quoi, il devra trahir son maître et professeur s'il y est forcé? C'est humain. Pour ne plus y penser. Il se jette dans son lit crasseux. Il ferme les yeux, il cherche le sommeil. Dehors, il y a trop de sirènes de police.

Malgré tout ce sang versé, les cadavres ravagés et exposés, le mois de mai a été de toute beauté et voilà que juin, entamé, s'annonce aussi tout fait de belles et chaudes journées. Il y a maintenant une sorte de canicule. Les gens suent. En dépit de cette chaleur, ils partent en foule se mettre en ligne devant le mystérieux souterrain. On frissonne. On regarde tout. On examine tout. Ainsi, c'est donc là que vivait depuis des années un maniaque

91

effrayant, celui qui organise des massacres d'homosexuels et de Noirs. Il y a une drôle de jouissance. On semble comme intimidé. On chuchote. On montre du doigt le panneau aux photos, le panneau aux coupures de presse. Certains visiteurs rient de malaise devant les livres aux reliures luxueuses. Des voyous, pas moins détraqués que les zélotes du colonel, vénèrent ouvertement l'ermite en fuite. Ils n'hésitent plus à affirmer qu'ils souhaitent qu'on ne l'attrape jamais. Dans des ruelles, sur des murets du centre-ville, on peut déjà lire des graffitis vite faits criant: «Vive le fantôme du mont Royal!» Ou bien: «Le fantôme: au secours!» Des hurluberlus, anonymement, publient une sorte de manifeste criard où ils se disent les disciples du fantôme, ou encore les membres des cellules du fantôme. Un signe, fictif, bidon, apparaît de plus en plus: «ADF VIVRA.» ADF pour les Amis du Fantôme. Léo ne voit rien de tout cela, ne sait rien, il vit caché dans la cave de la caserne militaire tout à l'ouest de la montagne, au 4185 de la Côte-des-Neiges.

La police annonce des récompenses. On publie une photo toute floue, prise par un loustic qui, jadis, avait aperçu l'apiculteur-fantôme. Elle devient une sorte d'affiche populaire. On l'a fait imprimer sur des chemisettes, des gaminets, des blousons. Léo, qui l'ignore, devient vite une sorte de héros populaire. On aime tant le mystère. On aime tant l'insolite. Le bon peuple, vieux jeu de balancier de toute antiquité, hésite entre le chasseur et la proie. Il aime avoir peur. Jouer au détective. Des tas d'appels affluent dans les postes de police: on a vu le fantôme ici ou là! Le fameux apiculteur est partout! On est proche d'un climat hystérique.

Étendu sur son matelas de fortune, Léo a fait un rêve. Il fait beau. Du soleil partout. Les arbres luisent. Un sentier brille. Une jeune et jolie femme passe. C'est Maria, évidemment, elle ramasse des fleurs modestes. Il va vers elle. Il pleure. Il lui embrasse les mains, elle lui sourit, le fait se relever. Il veut l'embrasser. Il se penche. Toute la lumière du monde l'arrose. Elle n'a pas peur. Elle a fermé les yeux et entrouvert un peu la bouche, elle a eu un geste si beau, si doux à ses longs cheveux. Elle l'aide à se rapprocher, il enlève son casque à voile et il l'embrasse: le granit sur une pêche, la pierre sur une aile de papillon, le marbre dur, froid et sanglant sur la peau fine d'une amoureuse. Miracle, elle sort un petit miroir, il est redevenu le jeune homme d'antan, il a le jeune visage romantique que les filles de son quartier aimaient. De nouveau, il est beau! Il est heureux. Il soulève Maria dans ses bras de géant content. C'est l'amour. C'est la promesse d'une vie merveilleuse. Soudain, au bout de son rêve, tout autour, dans la nature du mont Royal, s'amènent les punks de Glass, les skins de Picard, avec des poignards, des fusils. Hargneux, ils menacent le couple. Alors, Léo se réveille. En sueur et si déçu.

Il veut sortir du placard. Il ira voir Asselin qui doit bien avoir réussi à se libérer. Il lui racontera tout. Sa part d'irresponsabilité. Ses prêches nocturnes. Sa part d'ange noir, de mauvais ange. Il lui dira tout, les milices, les douze cellules de douze jeunes fous du «colonel». Les chefs détraqués, Picard et Glass surtout. Il les donnera. Puis, il ira sur le pont Jacques-Cartier et ce sera vrai cette fois. Autant en finir, croit-il, puisque les beaux rêves ne se réalisent jamais.

* * *

Les écoles fermeront bientôt et la panique grossit. La police ne retrouve toujours pas ce fantôme organisateur. Les jeunes blessés capturés lors du raid des gays ne savent rien. Ils ne savent rien d'autre que le nom du chef, Glass. Ce dernier, lui aussi, est introuvable. Il a disparu. On le recherche activement. Sa face laide est dans tous les pare-brise de toutes les voitures de police de la ville et du pays. On a même prévenu Interpol. Ça vaut la peine.

Ce Richard Glass est un tel illuminé. Mais il y a d'autres fous en liberté. Les disciples de Glass en ont parlé même s'ils savent si peu. Des bribes. On a pu arracher de petits morceaux de cette histoire incroyable: il y aurait d'autres groupes de miliciens. Il y aurait d'autres chefs de cellule comme Glass et tous ces leaders recevraient des ordres de, probablement, un militaire à la retraite puisque c'est quelqu'un que l'on nomme «le colonel». Ou «le caporal». On n'est pas sûr. Glass parlait rarement de l'organisation. Il entraînait les siens, c'est tout. Il semble qu'il allait s'entraîner lui-même, mais on ne sait pas où. L'un a dit que c'était du côté de Vaudreuil-Soulanges, pas loin de Saint-Télesphore, où il y avait une sablière désaffectée. Une autre a parlé plutôt d'un ancien chalet-dancing près du Lac-des-Deux-Montagnes, du côté de Sainte-Marthe-sur-le-Lac, un peu à l'est d'Oka, que les fusils venaient d'un groupement de Warriors dans le ghetto de Saint-Régis. Bref, la police ne sait pas grand-chose, elle souhaite surtout mettre le grappin sur ce Glass et le faire parler. On était certain que le massacre des trafiquants jamaïcains était son ouvrage, acoquiné peut-être à une autre cellule.

Les journaux, la télé, la radio, tous les commentateurs «gérants d'estrade», se perdaient «en conjonctures» et «la conjecture» n'était pas favorable à des «développements pertinents». Le vocabulaire classique! Ça jacassait *ad lib* et *ad infinitum* dans tous les micros du territoire. Vainement. Très vainement.

Plusieurs journées de juin passèrent. En rentrant au 4185, un soir, le colonel va au placard avec des vivres frais et il le trouve vide! Plus de Léo! Le colonel tombe assis sur le petit matelas. Il est débarrassé au fond. Maintenant, il souhaite ne plus revoir son prédicateur misanthrope, son prêcheur des noirceurs humaines. C'est lui, se dit-il, qui lui avait rempli le cœur d'encore plus de haine qu'il n'en contenait déjà. C'est lui, se convainc-t-il, ce savant défiguré, qui avait fait de lui un enrégimenteur de jeunesses déboussolées. Le colonel est soulagé, presque heureux. Il s'est trouvé un coupable et cela lui faisait du bien. Désormais, il allait avoir une cible. Si on l'attrape, il dira qu'il a obéi à un chef, à lui, le fantôme qu'on montre partout, à toute heure du jour aux devantures des magasins comme dans les écrans des télés.

Quel soulagement pour Gilles Bédard! Il en va ainsi des âmes faibles. Elles finissent toujours par blâmer quelqu'un. Ou quelque chose. N'importe quoi. Ils ne sont jamais vraiment responsables, ni de ce qui leur arrive ni de ce qu'ils ont fait ou vont faire. C'est bien commode.

Léo erre dans la montagne. S'il savait tout ce dont on l'accuse, le soupçonne. Il va, seul, dans la nuit. Il n'en pouvait plus de rester ainsi, terré, prisonnier de ce pauvre colonel d'opérette à la cervelle tordue. Et puis, intuition, il devinait des choses: Bédard devenait distant, froid. Il ne le regardait jamais plus dans les yeux. Il parlait de façon obscure. Bref, Léo se méfiait de cet homme fermé, agressif, mutique désormais. Ne pourrait-il pas le livrer pour se blanchir? Léo devinait juste, il était super intelligent mais aussi super instinctif. C'était sa force jadis, sa supériorité et son salut quand il avait été un petit garçon pauvre, en péril constant, en dangers divers comme tous les enfants pauvres, sans sécurité aucune. Devenu grand. C'était sa force encore cette intuition, sauf quand il avait noyé cette Suzanne, il y avait un siècle, lui semblait-il.

La nuit tombe au fond de l'Ouest. La ville se réveillerait bientôt, alors il faut qu'il se trouve une nouvelle planque maintenant. Il ne peut pas circuler ainsi dans la forêt du mont Royal en costume d'apiculteur, sans se faire dénoncer. Il ne sait où aller. Il a une folle envie, un désir insensé: aller boulevard du Mont-Royal, vers la maison des DeSereau. Vers elle. Cette belle jeune femme qui n'a pas crié, qui n'a pas eu peur, qui n'a pas été horrifiée de voir son visage de granit rougi. Ce serait folie. Il ne faut pas. La lumière du jour va monter tantôt, il le sait, il connaît extrêmement bien toutes les nuances de noir, de gris et de blanc aussi, quand la nuit s'achève et que le jour décide de s'imposer à sa place. Il a peur. Malgré la chaleur de cette nuit de juin, il a des frissons. Il doit se décider, il ira vers le fleuve, il descendra vers le pont Jacques-Cartier, il y laissera de nouveau ses vêtements et, cette fois, le bloc de granit qui va tomber à l'eau ne reviendra plus jamais hanter la vie des Montréalais. Il ne voit aucune autre issue à sa vie. Reclus du monde, dans son caveau aménagé, il avait fini par trouver un certain charme à son existence d'ermite volontaire. L'image de Maria, le rêve impossible, a tout bouleversé. C'était terminé.

Au moment où, au *look-out*, il regarde vers l'est, quand brillent encore les lumières fragiles de la ville au-delà de la falaise, il ignore que des policiers viennent pour une autre journée se poster près de son terrier pour ramasser l'argent, dont la ville a tant besoin, l'argent des loustics qui tiennent à voir l'antre de la bête, le trou du monstre. Pauvre Léo: dans toute les villes du monde, on le sait bien, il y a ainsi grande curiosité pour le fait divers extravagant. Loin, une guerre peut bien sévir, dans les Balkans comme en Inde, en Afrique ou en Océanie, nous nous tournons avant toute chose vers la sordide «page trois» du journal du matin, c'est la réalité partout. Quoi de neuf ce matin de juin? Les gens vont voir l'horrible de nouveau. Glass, Richard Glass, le recherché, est découvert coupé en cent morceaux, haché vraiment, puis abandonné dans un pédalo à louer à la dérive sur le lac des Castors!

7

L'horreur encore? Oui. Plein de bonnes âmes qui s'expriment. Partout. Grand dédain de cette ville. On parle de la fuir. Ça parle d'une cité maudite. On peut entendre ici et là des imprécations terrifiantes. On peut aussi palper une sorte de dérive. Plein de citoyens qui appellent la force. Des tas de citadins qui se réunissent un peu partout, centres récréatifs, salles d'école, et on peut y entendre l'étrange mélodie si inquiétante: «Il nous faudrait un chef. Un homme de poigne? Ou une dame de fer? Un guide autoritaire?»

C'est classique. Les élus de l'opposition officielle en profitent: «Il n'y a plus de gouvernement!» Donc, c'est fait, tuerie nouvelle, c'est connu. Un mort de plus. Glass au lac des Castors. Le fantôme a frappé. Le monstre du caveau, dit-on. Et notre police toujours impuissante. C'est vraiment l'énervement. Les mères dorment mal, on accompagne les enfants jusqu'aux portes des écoles. Les filles rentrent tôt le soir. Des tas de garçons, jeunes mâles incertains, adolescents timorés, eux aussi, font de mauvais rêves. L'apiculteur mystérieux et ses sombres sbires rôdent dans leurs cauchemars. La vie est devenue fragile à Montréal. Des durs à cuir font d'autres projets. On parle de commandos de la mort. Pour la mort du fantôme. La police a laissé entendre qu'il faut ouvrir l'œil et on sent une atmosphère d'anarchie, cela se nomme bien: «tirer à vue». On a réussi – vive l'infographie moderne! – à faire une sorte de photo arrangée de ce dangereux savant arrosé jadis d'acides. Cette gravure se retrouve partout, partout. Léo le sait. Il le voit. Il se voit sans cesse. Il est en danger perpétuel. Il a lu un journal. C'est écrit clair: il est aussi celui qui a tué ce Richard Glass trouvé dans un pédalo.

On a publié la version policière des faits. Une vieille retraitée, ornithologue amateure, aime marcher dans la montagne très tôt le matin. Elle habite un petit appartement dans Côte-des-Neiges. Son lieu favori, jumelles en bandoulière, pour déambuler en paix? L'étang, nommé lac des Castors. C'est elle, Dorothy Leboutillier, qui a vu le pédalo à la dérive avec son cadavre sanguinolent assis dedans, la tête penchée, le ventre nu, grand ouvert. Trou rouge, celui d'un samouraï après l'hara-kiri. Ses cris. Sa course. Passent deux amateurs de jogging matinaux et la police enfin. Ça n'a pas été long qu'il fut fait écho partout d'un verdict. Celui d'un enquêteur expérimenté: «L'homme éventré du pédalo du lac avait été d'abord jeté dans un ravin abrupt, on avait trouvé ses deux chaussures au bas d'un précipice le long de la voie Camilien-Houde.» Facile de conclure: l'ouvrage encore du fantôme du mont Royal! Comme pour cette femme, Maria Micone. C'était signé. Léo, lisant cela, cherche qui a besoin qu'on le charge, qu'on l'accuse.

Richard Dick Glass avait du sang partout, sa chevelure déjà rouge en était rougie davantage. Il avait sa grosse face poupine beurrée de sang. De loin, premiers policiers arrivés, Asselin et son chef Dubreuil avaient cru à un enfant obèse maladroit à manger une glace au chocolat et à la cerise... Asselin était perdu. Il avait envie de démissionner. Il y avait une telle pression, politique et publique à la fois. Il n'arrivait pas à imaginer son ex-geôlier du caveau en brute sanguinaire. Il refusait de croire comme Dubreuil, comme tout le monde, que cet homme au visage de marbre ensanglanté puisse être un tueur fou. Voyant Dubreuil triompher de retour au bureau et multiplier les avis de recherche contre «le fantôme», il songeait davantage à la démission.

Ce même jour, quelques miliciens de l'éventré Glass ont besoin de manifester leur rage: quatre bombes explosent! Au Centre Fairview, dans un autre centre commercial, près du Forum, rue Sainte-Catherine, chez Eaton et chez La Baie. Douze morts!

Des innocents. Des passants. Quelques enfants. La ville est une marmite! On peut imaginer le nombre de blessés. On peut imaginer l'affolement partout. Le chef d'un parti de droite, Jules Dupire, en profite évidemment: «Nous récoltons, déclare-t-il, les fruits pourris d'un régime pourri!» L'Alliance nouvelle, son parti, n'a jamais tant reçu d'adhésions en si peu de temps. La peur, le sait-on assez, conseille n'importe quoi. Par exemple, d'aller se réfugier chez n'importe qui. Celui qu'on nommait non plus «le fantôme», mais «le monstre du caveau» ne pouvait pas tout savoir, que Gilles Bédard, lui, savait, devinait la mort quand il avait vu arriver ce Glass surexcité au 4185 Côte-des-Neiges. Il avait vu son excitation au sujet du raid des Big Black Panthers. Il s'énervait face à Roger Picard. Cet autre favori du colonel le poussait à une jalousie folle. Une rivalité de déments. Cette brutale razzia chez les jeunes Jamaïcains, ce total succès à ses yeux, le rendait malade. Les remontrances du colonel avec ses «Il fallait attendre», «Il ne faut pas jouer les *loosed canons*», l'exaspéraient. À un moment donné, ce soir-là, Glass avait entraîné Picard à l'extérieur, dans cette nuit de juin très chaude, soi-disant pour discuter stratégie et tactiques, loin du colonel. Mal lui en prit. Glass avait cru pouvoir en finir avec lui mais Roger Picard avait déjà tendu son piège.

Quand Picard reviendra, il aura l'air d'un chat qui vient de dévorer une souris. À Bédard qui le questionnait: «Où est Glass? Comment nulle part? Est-il parti? Quitte-t-il le mouvement?» Picard finit par répondre: «C'est un imbécile, un Irlandais idiot. Il parle de faire sauter des barrages électriques!» Picard sait bien ce qu'il a fait faire dans cette nuit chaude de juin, d'abord le lancer de Glass au bas du ravin et les coups de poignard dans le ventre du rouquin agonisant, enfin l'installation dans le pédalo de plastique jaune.

Bédard, en effet, songe à démissionner. Lui aussi, il a peur. De plus en plus, il sent qu'il a mis le feu à quelque chose qui se répand comme du lierre pourri. Il craint de voir la folie s'installer dans cette douzaine de cellules qu'il a contribué à monter. Si on le trouve au bout de cette chasse, il est fini. Perdu. Il voudrait parler à Léo, lui demander encore conseil. Impossible, son cher mentor a disparu, il ne sait pas où. Sorti de la station de métro Sherbrooke, sa vieille Monaco est au garage, Bédard marche dans le matin. La rue Cherrier s'éveille. Inquiet au maximum, Bédard ne sait pas encore que, dans son logis minable de la ruelle Saint-Christophe, il va rencontrer un Léo plutôt désemparé, et c'est l'innocent Rosaire pas moins perdu qui l'accueille. Les religieuses des Saints Noms de Jésus et Marie ont prié instamment leur brave jardinier Rosaire de quitter les lieux dans les plus brefs délais. On peut les comprendre, elles ont reconnu dans l'éventré aux jambes cassées le pensionnaire de leur locataire du sous-sol, ont pris conscience que leur gentil Rosaire hébergeait un bandit dangereux, Richard Glass. Les journaux ont parlé d'un récidiviste, d'un dégénéré en cavale, sachant s'échapper des prisons où l'on tentait sans cesse de l'installer, qu'il avait assassiné jadis un tas de clients dans un bar de la rue Beaubien, le Pantagruel, les ayant enfermés, vivants, dans une armoire à bière et y mettant le feu avant de fuir.

Trois mousquetaires vont donc se rassembler à l'aube, car il ne manquait que le plus instruit, le plus savant, celui qui saura les conseiller. Eh bien! il s'amène. Léo, prudent, était caché dans un hangar voisin. Il manque le quatrième bien sûr, mais André Dastous dort tranquille à l'abri de tout chez maman Dastous, avenue Woodbury. Certes, il avait pleuré toutes les larmes de son corps en apprenant la libération sauvage de ses protégés, les animaux volés des labos de l'université, et pleuré plus fort, protesté hypocritement de son innocence quand, découvert, il avait été chassé de l'université, perdant son emploi de veilleur de nuit.

Aussitôt que Léo arrive au logis de la ruelle, Bédard l'implore. Quoi faire? Mais Léo n'est plus l'homme solide dans son chic caveau. Il n'est plus le calme prof de sagesse cynique, nietzschéenne, qu'ils ont connu. Il exhibe un journal, une édition «spéciale», comme il s'en publie sans cesse depuis la vague meurtrière. Bédard lit: «Comme pour Maria Micone, l'ouvrage du monstre: mort d'un skinhead, les jambes cassées, installé en pédalo.» Rosaire a son rire nerveux, trop niais pour bien savoir ce qui est réel ou imaginaire, vrai ou faux. Il observe Léo et ne serait pas surpris de le voir avouer ce nouveau crime.

Même Bédard nourrit maintenant des doutes. Il a déjà emmené ce Richard Glass au caveau et Léo avait vite fait voir du dédain, une répulsion évidente pour le rouquin échevelé, aux propos incohérents. Il avait pris le colonel à part et lui avait conseillé de ramener vite son chouchou loin de sa tanière. Alors, il s'interroge: «A-t-il osé? Est-il l'assassin de Glass? Avec l'aide de qui? De Picard?» Chaque fois que Bédard conduisait son autre favori, Picard, chez l'apiculteur, ce dernier, avec patience, lui enseignait des notions utiles pour le transformer à son image, en misanthrope incorruptible. Léo avait dit: «Tu as un favori de trop. Seul le jeune Picard est solide.»

Le jour s'installe. Juin se refroidit un peu. Le soleil enfin se dérobe et d'énormes nuages noirs forment troupeaux, la pluie va venir. L'orage? Des éclairs fendent le ciel, des coups de tonnerre se rapprochent de la ville. Ouvrant un faux placard, Bédard fait voir la chambrette aménagée «au cas où». Un chef de rebelles se doit d'avoir de ces repaires d'urgence. Léo s'étend sur un petit lit. Il tombe de fatigue. Rosaire s'offre pour faire le guet sur le petit balcon de l'étage. Bédard et le «fantôme» sombrent dans un sommeil agité, celui de deux hommes désespérés.

Il y a un intermède comique dans cette ville aux abois. On peut imaginer l'insolite: tous ces rats blancs, ces singes, gris la nuit, ces lapins, ces ratons laveurs dans la cité, en liberté. Ce couguar! Le cochonnet? Retrouvé dans le petit jardin d'un Portugais de la rue Villeneuve pour son étal de boucher. Il a un magasin de vivres dans la rue et est bien déçu de devoir rendre son joli jambon aux autorités, dénoncé par un voisin jaloux. Le couguar libéré ne peut faire non plus une bien longue randonnée, il est retrouvé rôdant, tel un simple caniche sans collier, rue Sherbrooke au jardin de l'hôtel Ritz. Toute la matinée de cette journée, on voit des employés de la SPA, munis de leurs filets divers, en chasse. C'est une battue épique: des tas de singes qui grimpent dans cet escalier qui conduit de l'avenue des Pins au chalet du sommet. Ou qui se trouvent derrière l'hôpital Royal Victoria. Des lapins qui courent dans Outremont poursuivis par des chiens enragés de cette liberté provocante. Un épisode drôle en effet, mais bref. L'université fait valoir ses droits sur ses cobayes. Le bon ordre animal se réinstalle mais pas l'ordre public? Non! Les bombes des terroristes anonymes sont la célèbre goutte d'eau du fameux vase, la cerise sur le gâteau: les députés de l'opposition, encouragés par la vindicte des citoyens révoltés, font prendre un vote de blâme, puis un vote de confiance envers eux pour tenter de renverser le gouvernement et faire se déclencher des élections. Ce jour-là, Léo et le colonel peuvent bien essayer de dormir ruelle Saint-Christophe, le gouvernement, lui, vacille. L'anarchie se lève. On craint la chienlit.

Il s'en fallut de peu. De très peu. Tous les cadets des écoles de police, tous les employés des compagnies de vigile sont embauchés pour aider à maintenir l'ordre public. On a décrété le couvre-feu, impossible de le faire respecter. Malgré la chaleur, on voit plein d'excités dans les rues, dans les parcs publics, jusqu'à très tard le soir. C'est courant maintenant. Le parti de l'A.N. triomphe. Leur chef, Dupire, est demandé partout, il vocifère sur tous les *hustings*: «Dehors, assez du libéralisme décadent!» On l'applaudit comme jamais, en foule, au parc Jarry comme au marché Atwater. Sondage après sondage, il est démontré que si le gouvernement actuel tombait, l'Alliance nouvelle serait portée au pouvoir avec un vote écrasant.

L'inspecteur Asselin est absolument décontenancé, atterré. Il avait cru, au départ, à une affaire sordide, certes, mais soluble en quelques jours ou quelques semaines. Un crucifié qui s'avère être un juge sodomite aux mœurs douteuses, mais ensuite ces pendus accrochés à des monuments, ce n'était pas ordinaire, mais il avait cru à une guerre de bandes, des skinheads dévoyés face aux marginaux, émigrants, assistés sociaux, homosexuels, cibles habituelles des crétins. On avait déjà vu de ces petites guerres. Eh bien, non! le limier constatait que les choses tournaient très mal, qu'il y avait derrière cet ermite volontaire, vivant sous terre, bien davantage qu'une milice armée et secrète aux idées détraquées. Voilà que des responsables de la Michigan Milice entraient

103

ouvertement en contact avec les chefs de l'A.N. Voilà que d'anciens membres de la défunte secte de l'Ordre du Temple solaire sortaient de l'ombre, affichaient publiquement leur appui à ce parti pour le renversement du gouvernement jugé déliquescent. Voilà que des Japonais, ex-disciples d'Aoum, télégraphiaient des encouragements à l'Alliance et que des associations de punks allemands, amateurs de *Jours de Chaos*, publiaient un pamphlet en hommage à ces réactionnaires. Enfin, Asselin, dans son bureau, contemplait la photo d'un dénommé Labrecque de la rue Saint-André, militant avoué du Klu Klux Klan qui venait d'être coffré, la police découvrant chez lui un véritable arsenal militaire.

Charles Asselin serait encore plus secoué s'il pouvait apercevoir dans un bureau du quartier général de l'armée, avenue Atwater, proche du Forum, quelques fous haut gradés qui complotent. Il verrait un jeune homme aux cheveux courts très noirs, au menton en galoche décoré d'une petite barbichette qui lui donne l'air d'un théoricien marxiste-léniniste ou d'un séminariste romain en colloque. C'est Picard! En face de cet invité qu'on interroge, trois officiers supérieurs de l'armée. Le maigrichon Allan A. Ryan, le nain Paul-B. Lortie et le gras Brian S. Canning. Trois oiseaux rares!

Le chouchou du colonel, Roger Picard, alias Furie, est impressionné par le luxe du bureau, beaucoup d'acajou, des tentures de velours, un mobilier de bois ouvragé, des tapis d'Orient, des lampes de qualité, beaucoup de bibelots militaires comme il se doit et des livres aux reliures sévères dans deux étagères de chaque côté du large pupitre ciré. Ceux qui le questionnent ont besoin de savoir. Ce sont des ambitieux, vénaux s'il le faut, scandalisés et révoltés, avides d'ordre, de discipline. Ils connaissent Picard et surtout son colonel Bédard, mais ils n'ont plus confiance en ce vieux gardien bourru, imprévisible, coléreux, aux idées parfois floues, un type qui leur a déjà

104

avoué consulter un conseiller clandestin. Qui était donc ce gourou mystérieux qu'il refusait de leur présenter? Roger Picard avait déjà été emmené à quelques réceptions à cet imposant édifice et il leur avait plu. Les comploteurs ont flairé le jeune homme résolu mais calme et patient, capable de sang-froid, fidèle et obéissant.

— Qui est ce conseiller secret? Il faut tout nous dire maintenant. L'heure H est proche.

Picard comprend qu'enfin ce qu'annonçait le colonel en propos vagues, va sans doute avoir lieu: un putsch! Une action fulgurante capable de vite renverser le gouvernement, la venue d'un régime militaire essentiel pour la purification des mœurs. Il exulte. Il a hâte. Il est excité. Il veut bien tout dire.

— C'est celui que toutes les polices recherchent, qui est le gourou du colonel.

— Quoi? Lui? Le fantôme du mont Royal? s'écrie Lortie.

— Oui, le peuple dit aussi «le monstre du caveau».

Lortie, le nabot, se lève et va tapoter l'épaule de son complice en mutinerie, Ryan, filiforme au visage grêlé, aux épaules voûtées. Le gras Canning se caresse le ventre gigantesque. Il sourit d'aise.

— Ce gourou va crever n'est-ce pas? Il est recherché, sa tête est mise à prix.

Paul-Bernard Lortie se rassoit et il indique une porte capitonnée.

— Nous, Picard, nous avons un chef, un vrai. Tu l'as déjà rencontré, c'est le général Eddy Proulx. Il veut te parler. Il a un message important à te confier. À toi seul.

Picard s'agite sur son fauteuil. Se lève. Se rassoit. C'est beaucoup pour un ancien petit punk d'Hochelaga. Beaucoup. Le général Proulx veut lui parler? Seul à seul?

— Il va venir ici? Je l'attends ici, c'est ça?

— Non. Tu vas aller marcher dehors, dans les jardins. Il ira te confier ce qu'il attend de toi. Tu peux sortir maintenant.

Picard sort, Ryan le guide, ils traversent un couloir, descendent un escalier aux rampes sculptées, aboutissent dans l'immense cour gazonnée, plantée d'arbustes du 3530 Atwater. La pluie a cessé, le soir est moins chaud, les averses ont rafraîchi la température. Au loin, on entend encore quelques faibles coups de tonnerre. Il n'y a personne au jardin! Il marche. Au fond. À droite puis à gauche. Il tourne en rond. Il fait très noir. Ryan s'éloigne.

— Ne cherchez pas à me voir, jeune homme. Je suis Eddy Proulx.

— Qu'est-ce que vous voulez me dire? Je suis à vos ordres, général.

Picard tente en tournant la tête de savoir d'où vient la voix. Une voix calme, sereine. La voix chaude d'un bon père de famille.

— Il faut nous débarrasser du bonhomme Bédard. Aujourd'hui même. Nous pouvons compter sur vous? Le colonel est un danger grave.

— Ah! Puis-je savoir pourquoi?

— Il a été très malhabile. Il y a ici un collègue, un major qui n'est pas des nôtres, il vient de découvrir la cave du 4185, les armes cachées. Tout! La police va y être bientôt. Quand ce sera fait, vous serez réinvité auprès de nous pour collaborer à la suite des événements.

Picard, dans la lumière d'un réverbère, voit un peu son visage. Rond! Plat. Une lune!

La voix de l'invisible s'amincit.

– L'heure est proche maintenant. Il faut agir très vite. À bientôt, jeune homme.

Des pas dans l'obscurité, dans une allée de graviers, puis une porte qui claque. Roger Picard n'avait pu revoir le visage d'Eddy Proulx.

* * *

Non, Asselin ne sait rien encore. Il tomberait de très haut. Et pas seulement Asselin. On ne sait pas assez la fragilité d'une démocratie, comment une démocratie qu'on croit immuable, bien assise, peut en très peu de temps voler en éclats. On ignore trop que des êtres humains mal instruits et décontenancés par des pratiques qui les révulsent, se changent soudain en adversaires mortels de la démocratie. Les peuples oublient l'histoire macabre de tant de tyrannies, de despotisme, d'époques et de régimes inhumains sur tous les continents, avec irruption de gouvernement fantoche autoritaire.

Non, Asselin ne sait rien. Les badauds se contentent d'une image. Il y a un grand coupable. Une seule cible. Les loustics sont fascinés par l'affiche de cette face haïssable, l'affreux visage de l'infirme. Ils le tiennent le satan, le démon, unique responsable de toutes les horreurs. La nation nigaude ignore que partout où ils ont su s'intégrer, partout où ils ont pu s'infiltrer, les miliciens désaxés se passent le mot d'ordre: «Être prêt maintenant». Eddy Proulx devra se débarrasser plus tard des miliciens candides, marionnettes encombrantes pour ces ambitieux du «jour de gloire». La centaine de miliciens ne seront plus rien si le putsch réussit. À moins qu'ils servent de gardiens zélés, de *bouncers* pour le quarteron de militaires rebelles, de petits concierges corvéables.

«L'heure est proche», se répète Roger Picard qui marche vers le 4185 de la Côte-des-Neiges. Il a oublié? «La police sera là bientôt», lui a dit Eddy Proulx. Il a oublié dans son euphorie: «On a découvert la cave, les armes, tout.» Pauvre Picard! Il ne rêvera pas bien longtemps, en arrivant au 4185. Brouhaha, portes grandes ouvertes, lumières partout et lui, vitement, qu'on intercepte, qu'on menotte et hop, au panier à salade!

Ça n'a pas été long non plus pour la ruelle Saint-Christophe et l'apiculteur l'a échappé belle. Comme il ne pouvait pas dormir, il est allé retrouver Rosaire au balcon, cherchant un meilleur refuge. Mais non, celui-ci ne peut plus héberger, ni lui ni personne, on l'a vu au couvent du boulevard du Mont-Royal et Rosaire lui apprend en avoir été chassé à cause de Glass. Alors Léo comprend qu'on recherche et qu'on va retrouver le Rosaire. Que les religieuses l'ont certainement signalé à ceux qui enquêtent sur Richard Glass. Le fantôme croit qu'il faut se tenir loin de ce simplet, le plus loin possible. Léo a senti aussi que son pupille, le colonel Bédard, est déstabilisé, fragile, comme perdu, qu'il ne sait plus quel chemin prendre. Dangereux cela aussi. Alors? Se tenir très loin du colonel.

Léo est parti. Il fait pitié. Il ne sait plus où se cacher; peut-être aller chez le passionné des cobayes des labos, chez André Dastous, avenue Woodbury. Mieux, chez Maria qui l'aime. Mais comment la retrouver? Ça le hante, ça le taraude, ça l'envahit corps et âme, ça le tue! Oui, il y a Maria. Nous savons tous que seule une femme qui aime est un refuge sûr. Le fantôme le sait lui aussi. Pouvoir la revoir. Il marche. Il a peur, à tout moment, un policier ou un fou, justicier d'occasion, peut lui loger une balle dans la nuque. Voir Maria, rien qu'une fois, une dernière fois et lui dire qu'elle aurait pu le changer, le guérir de lui-même! Léo marche.

Où aller? Chez le sénateur DeSereau? Maria est-elle retournée à son labeur d'antan? Il marche d'un pas lent, prudent. Il a mis des vêtements prêtés par Bédard, s'est débarrassé de sa combinaison d'apiculteur. Il a mis du maquillage épais, des verres fumés opaques, un bandeau, un foulard, un large diachylon sur le nez. Il a mis un chapeau à très large rebord. Il marche rue Cherrier, un homme l'observe, il frissonne soudain. Oui, une balle perdue, tirée par n'importe qui, n'importe quand. Il marche plus vite. Avenue des Pins, il tremble vraiment un peu, en route vers l'avenue Woodbury, la maison de maman Dastous. Non. La couveuse de son cher fils refusera sûrement un homme condamné, guetté et, ce qu'elle ignorera, amoureux fou! Mais oui, on peut être laid, si laid, et aimer à la folie.

Pendant qu'il va, déguisé comme un espion d'antan, vers l'ouest, cherchant des rues désertes, il ignore qu'au même moment la ruelle Saint-Christophe est cernée, que la police s'approche, fusils plein les mains, que le colonel achève définitivement sa carrière de sauveur et de réformateur des punks. Il va maintenant au nord dans l'avenue du parc.

Pendant que Léo s'avance dans l'avenue du Parc, pendant qu'un soleil timide lutte contre les monceaux de nuages de suie bien noire, il croit rêver. Qui va là-bas sur des béquilles alors qu'il approche l'avenue Mont-Royal? Qui est là-bas, dans des rayons de lumière intermittents, appuyée sur des béquilles, les cheveux au vent? Il veut ne pas y croire. Maria? Il croit et souhaite être l'objet d'un mirage, d'une hallucination. Ça ferait trop mal. Ça ne peut pas être elle? Il a ralenti le pas, lui qui marche si vite d'habitude. Un miracle? Il y a donc un destin? Il y a un Dieu? Il y a donc le *fatum* des Grecs anciens? Tout est écrit dans le ciel? Il redevient un enfant, il a la foi, il veut courir maintenant. La fille, au loin, elle aussi, semble regarder dans sa direction. Elle a cessé de marcher, elle aussi, sur ses béquilles. C'est peut-être vraiment cette femme dont il est complètement envahi depuis sa rencontre en apiculteur à l'aube, au bout de l'avenue McCulloch. Ils sont là tous les deux, loin l'un de l'autre encore, stoppés, incrédules. Il a le cœur battant. Ils sont là, à deux cents mètres l'un de l'autre; Léo qui n'a plus du tout envie de se rendre avenue Woodbury chez la mère de Dastous, Léo, qui a envie de tourner de bord, d'aller sur le pont Jacques-Cartier, pour un vrai suicide cette fois. Léo qui voit son image de fou furieux dans toutes les vitrines, chez les dépanneurs, chez un boulanger, un fleuriste, un libraire, un boucher, partout. Léo se tient le cœur. Il va faire un dernier geste humain, il a décidé d'oser téléphoner chez lui, pour des adieux chez les vieux parents. Il ne lui reste plus que cela, le vieux foyer de l'enfance, rue Saint-Vallier, là où ses parents, sans doute étonnés, sont affolés d'avoir appris qu'il ne s'était pas suicidé jadis, qu'il est vivant, toujours défiguré mais vivant!

Mais il y a Maria! Il faut que ce soit elle! Folie, névrose, le voilà qui s'imagine encore un piège odieux: on aura déguisé une jeune femme en Maria, avec des béquilles, la police lui tendrait un piège?

8

Partout dans le monde, aujourd'hui même, il y a eu des morts. Par exemple, des enfants ont été tués dans des accidents inévitables, des jeunes et des vieux désespérés se sont suicidés. Mais des femmes ont accouché de jolis bébés. Partout, aujourd'hui, il y a eu des bonheurs et des malheurs. Les journaux du monde entier, les nouvelles à la radio et à la télé, aujourd'hui, vont faire la narration fatidique des actualités. Guerres au Moyen-Orient, catastrophes, procès fabuleux, escroqueries honteuses. Le monde tourne. Ici, le monde tourne mal maintenant; désormais, le monde tourne tout croche. À la télé, par ici, on programme des films d'horreur. Des cinémas offrent de vieux classiques: *Dracula, Frankenstein, Le Fantôme de l'opéra. Le bossu de Notre-Dame* ou *Jaws. Les oiseaux* et tous les films d'Hitchcock. *Docteur Jeckyll et Monsieur Hyde, Le bébé de Rosemarie.* On passe, au Canal D, des documentaires, *Le tueur de Cleveland, L'étrangleur de Boston,* et on présente *Le Silence des Agneaux.* Des titres crient dans les cinés des centres commerciaux des banlieues. Il y a surenchère dans l'horreur.

111

Pour justement faire diversion, on vient d'annoncer que le grand réseau public va offrir tous les soirs un film joyeux, un film de bonheur. Le premier, ce soir, *La mélodie du bonheur*. Son distributeur proclame qu'il aura le plus grand auditoire jamais vu. C'est possible. «Il y a assez d'horreur véritable sans qu'on éprouve le besoin d'en visionner davantage, il me semble!» a-t-il protesté.

Le grand public, pas plus que la police, ne sait vraiment ce qui se trame, ce qui se prépare. Personne ne sait qu'en ce moment, un émissaire d'une bande de motards «criminalisés» offre, en secret, une fabuleuse somme d'argent afin de collaborer à la venue au pouvoir du parti de Dupire, du parti de la droite pure et dure. Personne ne sait aussi que le général rebelle, Eddy Proulx, l'a su et qu'il va s'organiser pour que cet argent soit détourné. Il veut régner seul. Proulx a appris comme tout le monde que le gouvernement actuel, pour braver l'horreur, a décidé de tenir une réunion d'urgence en plein mont Royal. Les médias l'annoncent partout: le 20 juin, un cabinet des principaux ministres va discuter de cette crise au chalet du mont Royal. La police s'en énerve sans bon sens. Le mont Royal est devenu maintenant un lieu tabou, le sanctuaire du mal.

L'émissaire discret des Hell's Angels aurait expliqué à l'envoyé secret de l'Alliance nouvelle qu'il n'y a pas de conditions. Que tout ce fric sera donné sans exigence de retour aucune. Il ne dit pas qu'il s'agit d'argent sale. Celui des stupéfiants, celui qui sape la jeunesse, qui mine ses jeunes nouveaux adeptes. Il n'explique pas qu'il faut bien se débarrasser de cet argent corrompu, gagné à abrutir des enfants mal grandis, des âmes molles faciles à subvertir. Bref, il ne raconte pas que tout ce fric est bien difficile à laver et qu'il vaut mieux qu'il serve à se débarrasser des esprits libéraux qui règnent dans la capitale. Qu'il peut servir à se ménager, pour l'avenir, les politiciens d'un nouveau pouvoir élu.

L'horreur donc. Pour Léo aussi. Il y a pourtant eu un répit. Il n'y a pas eu piège. Au coin de l'avenue Mont-Royal, il n'y a pas eu, autour d'une Maria embrigadée, des dizaines de policiers surgissant pour le coffrer. Il s'est avancé lentement vers ce sosie de Maria. Mécaniquement, il a lu la grande affiche du coin de l'avenue Mont-Royal, l'école Platon, capable d'enseigner vingt-trois langues, et puis il a regardé le gros cabanon blanc du tertre en rond-point. Il s'est souvenu du lieu. Adolescent pauvre, il y attendait souvent un ami de la rue Villeneuve, l'hiver, quand il venait par ici faire des glissades en ski, il y a de cela si longtemps. Il a vu, un peu plus tôt, le grand monument ailé et il a songé aux macchabées chevauchant les lions de bronze. Il a songé aussi à Bédard et à ses miliciens déboussolés. Ensuite, il a fermé les yeux et a foncé vers la vision de Maria, vers l'espoir. C'était... un garçon! Un beau garçon aux cheveux longs qui l'a dévisagé longuement, cet inconnu qui s'excuse avec son masque épais de maquillage, son bandeau en cache-nez, son grand chapeau et ses verres fumés. Léo a eu mal. Il avait murmuré: «Maria!» Le bel adolescent s'est penché pour lacer un de ses souliers de course salis à outrance, s'est redressé, a secoué sa longue chevelure. Léo ne se retourne pas. Chaque seconde qui passe compte, chaque minute qui s'écoule sans qu'il se fasse repérer est importante. Il va vers une cabine de téléphone publique, il voudrait parler à son père. Ou à sa mère.

Même adulte, un homme coincé finit toujours par songer à l'abri familial. Il ne sait pas, pauvre lui, qu'il vient de passer près de la vraie Maria. Quand il a marché, plus au sud, le long de l'antique mur de pierres couvert de graffitis rue Jeanne-Mance, elle était là, derrière le mur, dans le si joli jardin des religieuses valeureuses continuatrices, descendantes de la fondatrice, madame Mance. Mais oui, Maria, qui va obtenir bientôt son congé, y était quand il marchait, déguisé, de l'autre côté du mur. Il aurait suffi qu'il songe à crier son nom et il aurait eu un écho surprenant. Le hasard existe-t-il? On a le droit d'en douter si souvent. Le destin ne voulait pas que cette femme qui aime un être hors du commun, hors du monde, le retrouve maintenant, que cet homme qui n'a plus que ce mince espoir, cette Maria, la retrouve. Non, le *fatum* refusait qu'ils se revoient, maintenant, qu'ils puissent se retrouver; pas tout de suite. Que Maria puisse lui dire: «Viens vite, entre ici, il y a un médecin providentiel, il y a ce Alain Grandbois qui peut te redonner ton visage humain.» Que lui, Léo, puisse la serrer enfin dans ses bras pour lui dire: «J'ai été fou! Je regrette ce geste idiot, la falaise d'où je t'ai précipitée! Ma bêtise! Je n'ai plus que toi, petite Maria!» Il ne s'est rien passé. Il ne se passe que ceci: un homme louche, un homme au visage graissé de crème, un homme veut parler au téléphone à sa vieille maman, mais il entend:

– C'est toi? Ne dis rien, raccroche vite mon garçon. Ne parle pas. Vite, raccroche, la police est ici, dans la maison.

Elle a raccroché. Il en est malade. Des années sans avoir pu entendre sa voix. Léo a imaginé sa vieille mère, rue de Saint-Vallier, folle d'angoisse et qui est bien obligée de ne pas lui parler. Il a juste eu le temps de crier: «Maman!» Ainsi, la police était donc partout! Elle était aussi dans la maison de sa jeunesse. Léo imagine la terrible surprise de ses parents quand ils ont su, il y a peu de temps, que leur fils n'était pas mort, pas disparu vraiment, pas suicidé du tout! Oh le choc! Pour son père dont le cœur chancelle depuis si longtemps. Pour sa mère aussi qui avait tout tenté, après l'accident, pour le consoler, l'apaiser. Le divertir un peu. La police est partout, pauvre Léo, tu es désigné, c'est toi la bête qui tue ou qui fait tuer. Cache-toi bien, léviathan maudit!

Où aller? Un seul endroit. Peut-être est-ce la bonne cachette? Léo se souvient que Maria était la seule habi-

114

tante dans cette vaste maison DeSereau, le sénateur et sa femme étant partis en croisière en Grèce, avait laissé entendre leur jolie femme de ménage, Maria. Alors? Où aller? Là, dans ce logis luxueux qu'il connaissait puisque cette maison avait déjà été sur sa liste des demeures somptueuses où dénicher quelques beaux morceaux. Léo connaît tous les trucs des cambrioleurs, il sait aussi comment faire pour que ne se déclenche pas le vieux système d'alarme des DeSereau. Il peut s'introduire en deux minutes. Savoir où couper, quoi couper, comment ouvrir ensuite une porte, côté jardin, déjouer sa solide serrure suédoise. Bien refermer. Bien reverrouiller aussi. Un policier pourrait venir inspecter les entrées, rien n'y paraît. Et personne, pas un seul passant, pas une seule patrouille, personne ne peut deviner que l'effrayant honni est en train de faire le tour des pièces du chic logement du boulevard du Mont-Royal.

Léo regarde le soir qui monte, le ciel débarrassé enfin de ses pluies a pris des teintes invraisemblables, des filaments d'un violet cruel, des plaques d'un mauve mortuaire, des stries d'un macabre rouge, en bref, un firmament qui convient à la soirée du fantôme. Léo regarde, pas loin, des autobus stationnés le long du boulevard. Il y a toute une file. Il voit qu'on a mis des panneaux pour réglementer la circulation des touristes. Il voit qu'on a enlevé une partie de la grille du cimetière, qu'il y a des lampadaires en quantité formant une sorte d'allée vers son ex-tanière derrière l'avenue McCulloch. Quelle ironie! La foule qui est là, émue, frissonnante, qui devine plus ou moins avec clarté les traits du «monstre», qui descend à tour de rôle, par groupe de quatre, dans la crypte désertée, qui examine tout dans le bunker maudit. Et lui, le constructeur ingénieux de cette tanière qui est là, debout, derrière les beaux rideaux de madame la sénatrice Jeanne DeSereau. Il regarde défiler les voyeurs, pèlerins de son récent passé de reclus, de trappiste volontaire.

* * *

L'inspecteur Asselin fait face maintenant à deux hommes fraîchement arrêtés ruelle Saint-Christophe. Devant son bureau, il examine en silence, à sa droite, un gringalet agité, dénommé Rosaire Lalonde. À sa gauche, un homme aux yeux agrandis, un solide gaillard, fin de la quarantaine ou début de la cinquantaine. Deux prises endormies capturées ce matin même dans une ruelle de Montréal.

– Vous étiez donc veilleur de nuit au manège militaire de la Côte-des-Neiges? C'est bien ça?

– Je veux un avocat! Je dirai rien.

– Il n'y en aura pas! La situation actuelle a changé les règles, Bédard!

Le colonel, très abîmé, sort d'une terrifiante séance de questionnement. Les enquêteurs de Dubreuil, directeur débordé et stressé au maximum, ont compris qu'ils pouvaient y aller férocement. Bédard en est sorti avec des bosses et quelques plaies. Mais il a tenu le coup. Il n'a rien dit. S'il pouvait voir dans quel état est son chouchou Picard. Pas battu comme plâtre, non, assommé raide! Les ordres de fesser ne sont même plus nécessaires. Tous les policiers savent d'instinct qu'ils ont carte blanche, qu'ils peuvent cogner. Plus tôt, on l'a vu, Roger Picard, ramassé au 4185 des Royal Canadian Hussards, a été jeté dans une cellule de Parthenais comme on jette un vieux torchon irrécupérable. Il avait fini par craquer. Il avait donné ce nom qui comptait: Gilles Bédard, son adresse exacte, dans la ruelle Saint-Christophe. Il avait dit juste cela: «C'est le chef. C'est "le colonel". C'est lui qui a tout organisé.» Il n'avait pas pu en dire davantage, il s'évanouissait, presque mort. Il fallait maintenant attendre qu'il récupère si on voulait en savoir davantage sur ce mystérieux «colonel». Ce serait trop long alors; vite faite, la descente. Juste avant que Léo l'apiculteur se maquille et se sauve, sauvé par son intuition.

– Tu es le chef, Bédard? Tu es l'organisateur, il paraît? Il faut nous dire de quoi?

Asselin lui parle calmement. Il est une sorte de dernier recours. Quand Dubreuil, avec l'aide de ses spécialistes aux méthodes «de temps de crise», ne réussit pas, il lui reste son inspecteur Asselin, le «on-ne-sait-jamais» des découragés pressés.

Asselin donne un signal et on lui enlève les menottes, on ramène Rosaire ailleurs. Asselin a offert du café à Bédard, qui tremble et sue. Il sent une coulisse de sang qui lui mouille le cou, il s'essuie de sa grosse main, il voit son sang et grimace. Asselin lui tend des mouchoirs de papier. Il lui parle tout doucement – c'est sa manière le plus souvent – , il lui explique qu'il ne lui donnera aucun coup, pas lui, mais qu'il faut parler cependant, qu'il faut lui dire de quoi, de qui, il est le chef et s'il y a un plan politique derrière tout cela.

– Sans avocat, je dirai jamais rien.

Le colonel songe à son mentor Léo qui a fui la ruelle juste à temps. Il songe qu'il pourrait aussi être renvoyé à ses tortureurs de la police. Il boit du café d'Asselin.

– Je suis rien, de toute façon. Je suis pas grand-chose. C'est lui qu'il vous faut attraper, lui, l'apiculteur.

Asselin, riche de sa si longue expérience, sent bien que cet homme terrorisé ment.

– Vous n'êtes pas le chef d'une bande? D'une milice clandestine?

– J'étais un exécutant. Le cerveau c'est lui, vous savez bien qui.

Bédard a peur. Il ne veut pas endurer les coups, alors il trahit volontiers son ami, son instructeur en révolte, son anarchiste sauvage, son prof de philo noire, son conseiller misanthrope. Il se lève et va se poster à côté de l'une des affichettes montrant le monstre du caveau, et marquée: *Recherché – Wanted. Récompense – Reward: 100 000 $.*

– Le fantôme ne disait rien. Il ne confiait ni ses plans ni ses projets. Sans lui, vous n'arriverez à rien!

– Picard, ça ne vous dit rien?

Asselin lui jette toute une série de photos de Roger Picard, fraîchement imprimées.

– Lui? Il n'en sait pas plus que moi. L'apiculteur ne nous disait pas tout.

Asselin a peur. Il y a des rumeurs de catastrophes effroyables, de cataclysmes horribles. Des communiqués anonymes pleuvent. Les authentiques mais aussi les bêtes canulars, les faux, pondus par des esprits détraqués, excités par la situation de crise. Il a peur. Car comment apprendre à temps ce qui se trame en secret? Combien sont-ils? Où se terrent-ils? Y a-t-il d'autres galeries creusées? À quel endroit? Ces annonces de plastiquage sont-elles réelles? Un des communiqués, trouvé par un animateur de la radio CKAC, parle de bombe géante faisant sauter l'édifice Parthenais tout entier et pas seulement l'immeuble, mais tout le quadrilatère. Le petit théâtre dit de l'Espace libre, voisin du quartier général de la police, a interrompu sa série de spectacles. Au cas où! Asselin lui-même, d'habitude coriace, craint vraiment pour sa peau. Des lettres de menaces le pointent.

Si Asselin savait, mais qui, dans la hiérarchie policière, pouvait savoir la «vraie» vérité? La plupart des miliciens, apeurés, s'étaient sauvés en toute hâte. Voyant tant de soldats un peu partout, tant de policiers, jusque dans les édifices les moins importants, ces jeunes mercenaires, vaillants chevaliers de la révolution morale, avaient fui, qui dans des campagnes, au fond des granges, dans une forêt chez des parents éloignés, qui de l'autre côté de la frontière, en Nouvelle-Angleterre. La peur est donc partout. Les enrôlés les plus agressifs sont disciples des deux favoris du colonel. Ceux de Picard? À moitié trucidés lors du coup chez les Jamaïcains. Ceux de Richard Glass, on l'a vu, la plupart massacrés lors du grand raid des gays du Village. La cellule de Vimont? Disparue! Décimée? Non, engloutie dans un peureux anonymat, celui d'avant leur enrégimentation. La cellule de Brossard? Volatilisée aussi? Celle de Saint-Henri et de Côte-Saint-Paul? Ses membres se regroupèrent en une réunion de dernière heure. Au bout d'une heure de palabres angoissantes, les vingt-quatre petits soldats obéissaient aux chefs et faisaient tout disparaître: costumes, insignes, drapeaux, listes, paperasses, disquettes d'ordinateur, armes diverses. Vingt lapins! Il n'y avait plus de grande cause. Il n'y avait plus rien. Ils redevenaient de bons petits punks. Les cheveux repousseraient et on y mettrait de la couleur rose, verte, violette. Le grand rêve? L'idéal prêché? C'était avant «les mesures de guerre».

Bien des coqs pouvaient chanter: on reniait tout. On oubliait les slogans vociférés, les visions futuristes des «lendemains qui chantent». On ne voulait pas aller en prison. Quatre autres commandos prirent bon exemple sur ces métamorphosés du *law and order*: les cellules de Rivière-des-Prairies, de Montréal-Nord, de Saint-Léonard et de Saint-Michel comprenaient fort bien, elles aussi, qu'il fallait écraser. Au moins pour un certain temps. Redevenir de bons jeunes hommes. On enterre les quarante mitraillettes, les quarante couteaux à cran, les médailles nazies, les drapeaux à croix gammée et autres babioles fascistes. Quarante autres petits lapins bien sages dans ce paysage de terreur, hanté de policiers et de vrais soldats!

Il ne reste donc qu'une huitaine de fous furieux. Les entraînés par Picard et par Glass. Ils ne se sont jamais aidés. Leur rivalité déteint sur leurs zélotes. Cinq d'un côté, trois de l'autre, ces égarés cherchent, réunis par la panique, des manières de frapper, de cogner la soldatesque, une façon de venger leur chef tué, Glass, ou emprisonné, Picard, dont la photo ensanglantée dansait à la une des journaux dès l'aube. Il y a beaucoup de patrouilles dans le Hochelaga-Maisonneuve de Picard comme il y en a dans le Villeray de Glass, mais ces terroristes de génération spontanée restent introuvables puisque inconnus encore des enquêteurs de Dubreuil.

Je l'ai dit, le plus grave, est cette dérive de l'opinion publique. On voit davantage de ces graffitis proclamant «Longue vie au fantôme!» ou bien «L'apiculteur nous sauvera!». Des chroniqueurs populistes condamnent les autorités: «Vénalité!», «Honte!», «Fermons vite la crypte du fantôme!». Des éditorialistes expliquent que tout ce cirque du cimetière, ce tourisme morbide au caveau nuit à la paix sociale, à l'ordre public. Un mythe s'est installé. Un romantisme nauséabond. Des animateurs répètent que c'est une folie suicidaire de contribuer ainsi à la légende vivante du monstre et de son repaire. Mais la ville a tant besoin de sous! Maintenant, des Allemands et des Japonais insistent, dès qu'ils sont débarqués, pour qu'on les conduise d'abord vers cette tanière incroyable qui les fascine.

Comme Bédard refuse obstinément de collaborer, Asselin, avec répugnance, remet donc le suspect aux mains des enquêteurs de tendance «vigoureuse». Rosaire Lalonde lui avait semblé un bien meilleur candidat aux aveux. Charles Asselin recommence le coup du café, les paroles douces, la voix paternelle. Lui aussi, Rosaire, venait de sortir des mains des ardents questionneurs professionnels. Stigmatisé, il était tremblant de frayeur. Il affirmait qu'on lui avait cassé des dents, qu'il ne pouvait plus voir d'un œil. Il pleurait et gémissait, jouant l'innocent.

– Votre ami, le colonel Bédard, nous a tout raconté, Rosaire Lalonde. Nous avons seulement besoin que quelqu'un confirme sa confession et ce sera vous!

– Je suis rien. Pas grand-chose. Je ne suis personne d'important. Vous perdez votre temps à me frapper!

Asselin décide soudain de changer de disque. Il espère qu'en l'accablant, Lalonde désignera des coupables.

– Votre «colonel» a parlé. Rosaire, vous avez trempé dans le sang des victimes. Nous savons tout. Pour les morts chevauchant les lions et ceux du monument à Dollard-des-Ormeaux, pour les bombes aussi. Tout. Pour le mort de ce matin sur le pédalo, vraiment tout. C'est grave. Vous ne sortirez plus jamais de prison, ni vous ni le colonel Bédard.

Rosaire retire sa main de son œil ensanglanté et Asselin remarque qu'il a du sang qui lui pisse d'une oreille. Il se dit que les sbires musclés et assermentés y sont allés très fort.

– J'ai croisé ce Picard, deux fois, peut-être trois dans le bunker. J'ai peut-être vu Glass une fois ou deux, pas plus.

– Vous avez trompé tout le monde, Rosaire. Les religieuses d'Outremont qui vous faisaient confiance. Richard Glass, lui-même, que vous avez fait exécuter et Picard que vous avez dénoncé. Et maintenant, lui, votre colonel.

121

— Vous êtes fous ou quoi? Je suis rien. Je veux rien. Je servais de messager. Je suis rien qu'un deux de pique. J'étais leur esclave. J'ai toujours été un rien, un nul. Un petit cul. Un ti-coune.

— Rosaire? Pas à moi. Vous jouez le candide, mais ça ne prend pas.

Alors Asselin se lève, car voici un Rosaire qui se redresse soudainement, mystérieux. Il renverse sa tasse de café en marchant vers le grand pupitre de l'inspecteur, il a les lèvres qui tremblent, ses mains s'ouvrent et se referment, il chancelle, livide, la voix blanche.

— Je vais vous dire une chose, vous prouver une chose.

— Dépêchez-vous et je vous protégerai, sinon, je vous retourne du côté où ça cogne au sang.

— La preuve? Vous voulez la preuve que c'est Gilles Bédard, le vrai chef? Eh bien, je l'ai entendu nous dire qu'il avait des amis chez les plus haut gradés de l'armée! Oui monsieur! Le colonel a dit une certaine nuit: «Je suis protégé. Des généraux de l'armée sont avec nous pour le grand jour!»

Asselin frémit. Il se rassoit. Il le toise.

— Prenez garde. On va vérifier et très vite. Prenez garde!

— Vérifiez tout ce que vous voudrez, c'est la pure vérité et si vous attrapez l'apiculteur, informez-vous à lui, il vous dira la même chose.

Asselin tente de se concentrer vite.

– Vous dites des généraux de l'armée? De mèche avec votre veilleur de nuit, ce «colonel»?

– Je le jure.

La tête lui tourne. Il tente de garder son sang-froid. Si cet homme dit vrai, il faut vite alerter qui de droit. Qui, justement? Dubreuil d'abord, c'est son directeur. Asselin se frotte le visage, plusieurs fois. Il se fait tard. Cette journée de coups et blessures derrière la façade de la légalité s'achève. Il déteste cela. Mais voilà qu'il apprend un fait nouveau des plus troublants. Il songe à ce faux colonel Bédard, installé chaque soir dans un manège militaire. Ce serait quelqu'un donc qui eut des contacts avec des militaires désaxés. Pourquoi pas?

L'inspecteur offre de nouveau du café à Rosaire, ex-protégé des bonnes sœurs des Saints Noms de Jésus et Marie, et logeur de Richard Glass, le mort du pédalo, et les religieuses avaient cru bon, en conscience, d'en alerter la police. Tout se tient. Il fait venir un de ses adjoints, du nom de Jean Brigadier[7].

– Brigadier, vous allez conduire ce monsieur à l'abri des cogneurs. Compris? On va avoir besoin de son précieux témoignage.

Asselin a obtenu, il y a longtemps, les coordonnées de son directeur. En cas d'extrême nécessité. Il compose d'abord son numéro de téléphone. Dubreuil était allé visiter un de ses fils à l'hôpital de Saint-Jérôme. Asselin finit par le rejoindre là-bas. Il lui explique qu'il a un besoin urgent de le voir, malgré l'heure tardive, qu'il s'agit d'un fait nouveau d'une importance extraordinaire. Dubreuil lui donne rendez-vous chez lui, à l'ouest du boulevard O'Brien, rue Saint-Évariste. Soudain, Asselin

---

[7] Personnage dans *Une Duchesse à Ogunquit*.

décide d'y aller avec Rosaire, son prisonnier, qu'il fait menotter avec Brigadier. Il sait que ce dernier, fat, déteste cela et Asselin voudrait tant lui ramollir le caquet à cet aspirant-détective présomptueux.

À Cartierville, Asselin espère que Rosaire racontera la même salade. Il roule vite. Très vite. Trop vite. On l'arrête. La ville pullule de policiers depuis le premier massacre. Asselin explique: «Urgence.» Il montre ses papiers d'inspecteur et on décide de le précéder avec une voiture marquée, gyrophares et sirène en action. Rosaire, énervé par ce tintamarre, s'agite, secoue Brigadier et se lamente.

– Pourquoi vous questionnez pas le colonel? C'est lui qui connaît des hauts gradés, pas moé.

Asselin juge qu'il aurait dû en effet, et songe qu'il devrait vite faire isoler Bédard, il se pourrait bien que les agents-cogneurs lui fassent un trop mauvais sort. Il s'en veut. Entrant chez son directeur tantôt, il se promet de faire donner un ordre rapidement.

* * *

Voici un matin plein de brumes. Léo, boulevard du Mont-Royal, a dormi dans la chambre des maîtres. Luxe et volupté. Il va tenter de se faire le plus discret possible. Il se lève avant le soleil depuis qu'il a abandonné son caveau et sa vie nocturne. Derrière un haut mur de vieilles pierres recouvertes de lierre, il a soigné des rosiers mal en point. Les fleurs du sénateur? Ou de madame Jeanne DeSereau, la sénatrice? Il sait tout, Léo, il a tant réfléchi quand il a fait son séjour en tôle. Il a tant étudié, la botanique comme la gemmologie, la mécanique comme la physique. Il a su comment remédier et vite à une fréquente maladie des roses. Monsieur et madame seront contents. Il se souvient mieux: Maria avait dit qu'ils étaient partis

124

jusqu'à la fin du mois prochain, on était fin mai, et qu'elle y allait non plus faire le ménage hebdomadaire mais laver toutes les fenêtres. Il y en avait certainement plus de soixante. Elle devait aussi laver, nettoyer, frotter, faire reluire les verres, la vaisselle, l'argenterie et tous ces bibelots de collection que Léo avait examinés une partie de la nuit, faisant le moins de lumière possible, ayant pris une douche après s'être démaquillé, ayant revêtu une luxueuse robe de chambre aux initiales du sénateur J.DS. Brodées en bleu royal.

Ainsi, les résidents de son nouvel abri du boulevard reviendraient dans une dizaine de jours, à la fin de juin. Mais il y a le téléphone qui sonne sans cesse depuis l'aube. Cela cesse et puis cela reprend. L'apiculteur en déduit que c'est peut-être aujourd'hui le jour du grand ménage de Maria et que la sénatrice, de l'étranger, lui téléphone peut-être ces jours-là, chaque semaine de leurs vacances, pour être rassurée sur sa maison cossue. S'il décrochait? S'il disait qu'il est le frère de Maria, que Maria est tombée et qu'elle est hospitalisée? Ce qui est vrai après tout. Et puis, s'il s'agissait d'étrangers à la maison, il n'aurait qu'à déclarer: «Vous avez composé un mauvais numéro.» Raccrocher et puis laisser sonner et sonner, aller se réfugier au sous-sol-salle de billard. Il n'en peut plus et il décroche. Une voix de vieille dame noble.

– Est-ce vous Maria?

– Non. Je suis Léon, son frère, madame? Je la remplace.

– Ah! Que lui est-il donc arrivé à notre très chère?

– Une chute bête, à côté, dans la montagne. Je vois à tout. J'ai même soigné vos rosiers qui étaient malades, madame!

– Oh merci, monsieur Léon! Merci! Dites à Maria que la sœur de monsieur Jean, mon mari, est à l'article de la mort, alors nous rentrons dès demain.

Elle a raccroché. Il aurait voulu parler, implorer, expliquer qu'il était mal pris, qu'il devait se réfugier chez elle!

Léo a marmonné un «Bien madame». Plus d'abri? Déjà? C'est tôt. Trop tôt. Où aller? Il veut rester. S'il part, on va sûrement l'abattre cette fois. Il va rester. Il tente de réfléchir très vite. Il se voit dans la vaste glace du petit vivoir. Il voit son horrible visage de granit sanglant. Il voit ce qu'il ne veut plus voir. Il voit ce trou à la place du nez, cette bouche aux dents sorties avec ses lèvres absentes. Il voit sa peau comme calcinée aux tempes, sa peau veinée de rouge. Il voit cette galoche de granit, il n'en peut plus de sa laide face et il a envie de mourir. Il pense à voix haute. «Les DeSereau vont s'amener demain. Ils vont sonner? Non, bien sûr, c'est lui, le sénateur, qui va déverrouiller la porte. Il va ouvrir les tentures du hall d'entrée; celles du salon ensuite? Madame dira: "*Home, sweet home*"! Lui, il dira: "La maison, c'est la maison." Il ira à son cabinet de boissons, se servira un rye ou un scotch. Les deux seules bouteilles très entamées. Il ira au frigo pour de la glace, et là, j'apparaîtrai subitement! Il fera une syncope? Ou bien il va crier: "Jeanne! Jeanne!" Je le frapperai. D'un seul grand coup, sec. Il tombera sur la céramique du plancher. Elle va accourir, elle me verra, à son tour elle s'écroulera...»

Léo se promène de long en large. La journée sera longue, très longue. Il regarde le long placard du portique, celui plus vaste du hall. Où se cachera-t-il? Les attendre dehors peut-être? Sur la petite terrasse du jardin arrière? Se cacher dans le cabanon de bardeaux moisis du fond de la cour? Il tente de se convaincre qu'il faudra tuer s'il veut survivre. Il tuera.

126

9

Oh oui, répétons-le, que c'est beau une ville la nuit! Il y a ceux qui ont peur de tout évidemment. Ils ne sortent que le jour. Et il y a Montréal qui a peur, ces temps-ci. Pas tous. Il y a, ils sont sans peur, les petits zélotes dans leurs combinaisons grises, il y a ces petits mercenaires du colonel. Il en reste qui ne se cachent pas. Les ultra-fanatisés. Ils n'arrivent plus à rassembler tous les soldats, mais certains d'entre eux se revoient. La nuit. Ils comploten. Ils ne sont pas nombreux, c'est certain, mais ils ont une foi à tout casser. Par exemple: «Il faut délivrer notre chef, il faut sortir le colonel de prison, Picard aussi.» Il faut vite un plan. Les fidèles du colonel, les grands initiés entraînés au manège-caserne du 4185 sont des infiltrés pour la plupart, et il y en a un peu partout. Là où ça compte, là où ils devaient être essentiels le grand jour, le jour J. Un, Abel Beauchemin, est très officiellement soldat en titre avec les Fusiliers Mont Royal et il connaît donc par cœur la caserne de l'avenue des Pins. Il avait promis des armes en quantité au colonel pour l'heure faste, l'heure H. Un autre, Benoît Bouchard, originaire

127

de Sudbury, Ontario, eh bien, grâce au colonel-concierge, il a pu se faire accepter malgré quelques déficiences physiques au 2067 de l'avenue du Parc avec ceux du Black Watch. Il est «parfait bilingue», n'est-ce pas? Il est maintenant caporal en bon titre. Il est là ce soir, avec les autres à jongler comment faire sortir son grand maître Bédard de Parthenais. Il est avec Clément Cadotte, un autre infiltré. Cadotte, sergent-major déjà, avec ceux du régiment Maisonneuve, à la caserne de la rue Cathcart à l'ombre du gigantesque édifice de la Place Ville-Marie. On vient de trouver! Eurêka! Denis Potvin est un actif sympathisant et il est gardien de nuit à la prison Parthenais. Téléphone. Miracle bienvenu! Potvin est à son poste et il est d'accord, il les attend, les conjurés de la nuit.

Beauchemin et Bouchard ont su impressionner les autres gardes grâce à leur voiture officielle de l'armée. Ils ont raconté une histoire de vérification d'urgence et on a ouvert. Grand ouvert. L'armée, c'est très convenable pour les agents de la sécurité, rue Parthenais. Cadotte grimpe aux étages des cellules. On a mis Bédard dans un coin à part, Picard aussi d'ailleurs. Un au fond d'une aile au nord, l'autre au sud. Le gardien Potvin est très énervé. Très ému aussi. Il sait qu'il travaille ce soir pour la grande libération nationale. Ça n'a pas été long. Sans menottes, Bédard, ahuri, Picard qui n'en revient pas, marchent derrière Beauchemin en tenue militaire et ce Cadotte, gardien complaisant. C'est la sortie facile, avec Bouchard au volant.

Dans la voiture, c'est les éclats, la joie totale. Le colonel ira se réfugier chez Benoît Bouchard, à Auteuil. Roger Picard, lui, chez Cadotte, à Vimont. Potvin, quand on s'apercevra des deux fuites, va jouer son numéro: celui des soldats officiels qui avaient des papiers officiels. «De vrais soldats, avec une vraie voiture de l'armée, oui, oui.» Il dira aussi: «Ils avaient une sorte de mandat

128

d'amener n'importe qui ici, à Parthenais, on y a cru. On a obéi à des militaires, ne sommes-nous pas sous la loi des mesures de guerre?» Demain matin, on s'arrachera les cheveux. Demain matin, il y aura une effroyable battue partout au pays et même au-delà des frontières pour retrouver ce colonel, «bras droit du monstre», pour parler comme les médias, retrouver aussi un certain milicien fasciste, Roger Picard, loyal serviteur du gardien-colonel!

C'est vraiment facile d'échapper à la justice dans ce pays de candides. Tout le monde le sait, partout. C'est connu. On peut entrer et sortir à volonté par ici: faux réfugiés, faux en tout genre. On peut faire traverser d'énormes stocks de drogues dures, blanchir de l'argent. Le territoire canadien est une passoire, la risée de l'univers pégrieux, et des chroniqueurs le répètent: toutes les mafias du monde le savent. Ce soir, rue Fullum à Montréal, il y a eu une preuve de plus que nous vivons au pays des bons et braves garçons naïfs.

* * *

Pendant que la ville en ce 17 juin fait briller ses mille et mille milliers de lumières, pendant qu'un quintette tout heureux est rassemblé d'urgence dans le petit logement mal rénové de Beauchemin, rue Garnier sur le Plateau, le fuyard à la figure de sanguine examine la belle demeure, le 1215 du boulevard du Mont-Royal, qui lui sert de refuge temporaire.

Il fait et refait le tour de cette maison. Où se tapir pour cette nuit? On le sait, il y est venu déjà. Le 1215 au coin de McCulloch fait partie des maisons qu'il a cambriolées jadis. C'est vague, il faisait si vite, seul, ou bien avec Rosaire le grand dadais des sœurs du Mont Jésus-Marie au 1360 du même boulevard, un peu plus à l'ouest. Il fallait prendre, très rapidement, les objets de valeur et disparaître en vitesse. Ici, au 1215, il avait eu André

129

Dastous pour complice. Dastous, le fils à maman, avait voulu éprouver les délices masochistes de jouer au cambrioleur. Léo ne reconnaît plus rien. La maison des DeSereau est d'une propreté totale. Le bon ouvrage de Maria? Il regarde par les dix longues fenêtres alignées du salon, en face ou presque, les lueurs d'une allée de réflecteurs qui éclairent les derniers visiteurs de «sa» caverne. Ils s'en vont dans un luisant autocar noir marqué «Toronto Charter». «Ça marche, se dit Léo, j'ai occasionné une source de revenus inespérée pour monsieur le maire qui râlait sans cesse: "Les coffres de la ville sont vides."»

Au-dessus des arbres du vieux cimetière, il y a une lune d'une pâleur extrême en ce soir de juin. Un grand chien de prix tire sur son propriétaire, très grosse dame dans un léger manteau de toile rouge écarlate. C'est une voisine, elle entre, derrière son magnifique lévrier, au 1211. Le troglodyte Léo va au secrétaire acajou dans un coin du hall. Près du téléphone, un calepin, couverture de cuir fin, initiales d'or: J.DS. Il l'ouvre à «F» et lit «femme de ménage», et il y a «Ménage: Maria Micone». Un numéro de téléphone. Il y a aussi une adresse, avenue Rielle, à Verdun. Son cœur bat plus vite. Il tremble légèrement. Quoi lui dire? Mon Dieu! Quoi lui dire? Comment lui dire? Est-ce que l'inspecteur Asselin y a fait installer une table d'écoute, comme chez ses parents. Y a-t-il des policiers en filature, au cas où, puisque cette Maria l'a vu et lui a parlé, a été jetée dans un précipice par cette «machine à tuer» comme a dit, encore hier matin, un journal d'ici.

Il ne veut pas réfléchir, sort dans la nuit, va vite à une cabine et compose le numéro de cette belle jeune femme unique qui, il n'en reviendra jamais, n'a pas grimacé quand elle a vu son visage d'horreur. Il fonce, il fait face. Il l'aime tant.

À Verdun, Maria vivait depuis quelque temps avec un fiancé fou d'elle. À Verdun, avenue Rielle, il y a donc un jeune homme déçu et frustré. Il y a un amoureux éconduit, quitté, c'est le jeune plombier Stephen. À Verdun, avenue Rielle, Maria n'y est pas. Quand on décroche le récepteur, c'est une voix d'homme, la voix du plombier qui répond. Léo se tait un instant et la voix bourrue, mais jeune, répète:

– Oui? Qui est là? J'écoute? Qui est sur la ligne? Parlez! Parlez!

– Maria n'est pas là?

Un long silence aussitôt. Léo entend sur la ligne des bruits bizarres comme si on écrasait des biscuits secs dans l'écouteur.

– Maria? Est-ce que je suis chez Maria?

– Non! Elle est partie. Elle vit maintenant chez ses parents.

Stephen a reçu des ordres, faire parler longuement quiconque cherche son ex-fiancée.

– Ah!

– Qui parle? S'il vous plaît? Qui parle? Je peux probablement vous aider.

Léo a raccroché. Trop de sons mystérieux C'est évident pour lui, on espérait pouvoir repérer d'où venait cet appel. Il ne se trompe pas. Asselin a vu à tout, pas né de la dernière pluie. Il ouvre l'annuaire du téléphone. Il y a plusieurs Micone. Il y a, par exemple, Ubaldo Micone au 7068 de la rue Drolet, dans le nord de la ville. Il compose à tout hasard ce dernier numéro de la colonne des Micone. Une femme avec une chaude voix de gorge est à l'appareil.

– Allô, oui?

– Je voudrais parler à Maria.

Comme à Verdun, un long silence là aussi, rue Drolet.

– Elle sera ici demain, monsieur. Elle vient toute juste d'avoir son congé de l'hôpital.

– Je rappellerai demain madame.

– Bien. Qui êtes-vous? Si elle demande...

– Dites-lui: «L'amoureux fou au visage horrible.»

– Vous êtes qui? Au visage? Qui l'appelle s'il vous plaît? Avez-vous dit «le fou»?

Il a raccroché. Cette femme – est-ce la mère de Maria? – était soudain bouleversée, sa voix tremblait. Là aussi, il y a danger. Là aussi, la police de Dubreuil pourrait bien y être, aux aguets, bouchant ainsi toutes les sorties du «fou à l'horrible visage». Léo, revenu en vitesse, allume des lampes au 1215.

On a sonné. Surtout ne plus bouger. Il n'y a personne n'est-ce pas au 1215? Il va à l'étage, même rangée de dix fenêtres. Des rideaux luxueux, des tentures de prix pour la chambre principale. La chambre d'un maître. La chambre de l'ex-avocat, ex-juge devenu sénateur, ex-travailleur électoral des conservateurs, les «bleus», ex-avocat «bleu» récompensé, ex-juge «bleu», valet de l'*establishment* politicien. Des murs chargés de tableaux à paysages d'épaisse guimauve, moquette épaisse partout, dans le couloir comme dans l'escalier. Il éteint aussitôt une petite lampe qu'il venait d'allumer. Il descend, voit qu'il n'y a plus personne à l'entrée. Pour une

132

cachette discrète, il y a le sous-sol. Il y va. Chic bureau de monsieur, l'ex-zélé travailleur d'élections. Mobilier massif, d'un vague style espagnolisant. Baroque lourd, encombrant, laid. Aux murs des photos agrandies. Monsieur et madame sur leur yacht. Monsieur et ses amis sur divers terrains de golf. Le couple, en Floride, sur un quai, avec une prise «hénaurme», sorte de «faux requin» à touristes. Le condo des DeSereau à Fort Lauderdale. Oh! monsieur le sénateur avec le ministre de la Justice, une photo récente. Avec ses collègues du Sénat dans le hall du Château Laurier, à Ottawa. Au mur du fond, deux belles carabines de chasse. Léo prend la plus mince. Il cherche des balles, ouvre une armoire de coin. Il y en a. Une pleine boîte. La chasse est ouverte. Que les DeSereau s'amènent maintenant. Il pourrait peut-être faire croire à un suicide. Demain rentrant de Mirabel, le couple sans méfiance fera son entrée, il surgira, la radio jouera à pleine force et pan! pan! Deux vieux morts. Suicides? Non! La nuit venue, il ira au jardin les enterrer... il s'arrête. Madame, au téléphone, a dit: «Nous rentrons. Mort subite de la sœur de monsieur.» On s'inquiétera beaucoup puisque DeSereau a dû prévenir les siens de son retour subit de croisière. Il les gardera. Des otages. Un siège. Il doit installer un abri encore une fois. Ici, du côté du chic sous-sol? Là où il y a la fournaise, le lavoir? C'est rempli de bûches de bois pour les trois foyers de la cheminée du 1215. Il attendra tant qu'il faudra, sans faire de bruit. En fait, il ne sait plus du tout ce qu'il va faire. Il se sent à bout de force. Sans courage. Il examine le fusil. Ce serait si vite fait. Une balle dans la bouche. Dans le cœur? En finir, une fois pour toutes. Il en a souvent rêvé. Sortir de son cauchemar. Mais le visage souriant de Maria vient chaque fois se superposer sur ses noires pensées et alors il fait si clair. Il avait dit dans sa grotte à Asselin qui le questionnait:

— Comment comptez-vous vous en sortir maintenant, monsieur Longpré?

Léo lui avait dit son nom en lui racontant sa vie, ses mésaventures, l'accident.

– En me tuant un bon matin. C'est l'aube qui est souvent insupportable dans ma cachette. Je ne me décide pas. Je n'ai pas de courage. Vous le savez bien. Ce ratage, il y a deux ans et demi sur le pont Jacques-Cartier.

– Pourquoi se tuer au fond? lui avait dit l'inspecteur.

Léo n'avait rien répondu, se contentant d'aller vers la cage où il l'avait ficelé et de l'observer. Se montrer. Longuement. Asselin avait fini par baisser les yeux. Il avait compris. Léo Longpré n'avait pas eu besoin de tout lui dire. De lui dire qu'il devait sans cesse se masquer, se déguiser, qu'avant l'époque du repaire, chaque fois qu'il oubliait de le faire, c'étaient des cris, des grimaces, des fuites éperdues ou, carrément, un enfant qui se sauve, un homme qui se cache le visage et détale pour ne plus le voir, une femme qui court, tombe à genoux affolée, horrifiée. Tous le fuyaient.

Il avait fini par lui dire: «On n'imagine pas, je ne l'imaginais pas moi-même, ce que c'est que d'être laid. Laid à faire peur. Plein de gens, certes, qui, sans se trouver beaux, peuvent tout de même supporter de se regarder dans les miroirs. Pas moi!» Asselin avait senti alors une détresse effarante dans la voix du fantôme. Une voix si chaleureuse, si belle, sortant de cette face terrorisante.

Oui, se tuer. Quand le faire? Même l'homme le plus laid du monde craint de souffrir. La peur de la souffrance. Lui aussi. Comme tout le monde. Cette balle dans la bouche, la douleur que ça doit causer, et après, combien de temps? L'agonie, combien de secondes? Peut-être de minutes. La souffrance, c'est elle que l'on fuit sans cesse. Que, plus que tout, l'on redoute. Un mal de dents très ordinaire et c'est l'affolement, la panique parfois, quand cela dure trop longtemps. Ce point douloureux au ventre, cette affreuse crampe à l'estomac, ce sont les cris et les larmes. Non, la souffrance n'est jamais, jamais la bienvenue. Léo remonte à l'étage principal du 1215. Il va au chic bar d'un bois rose à effets d'ébénisterie. Il va boire un coup. Arriver à cesser de penser.

Il allume le téléviseur. C'est une comédie loufoque. Il saisit la télécommande et vogue. Des têtes. Des torses. Des paysages, des flous et des nets. Des gens qui coursent. Une belle femme se savonne, nue. Un homme rit aux éclats et se sauve. Des chevaux sauvages courent dans une jolie prairie. C'est une pub. Des éclairs illuminent un ciel ténébreux. Deux chiens enragés se font face. C'est une pub. Deux vieilles femmes chuchotent. Un cri, celui d'une fillette en larmes. Des rires, une foule en liesse. Des Chinois, dans la boue, tirent une charrette. C'est une pub. Un soldat allemand, en uniforme nazi, gruge un gigot d'agneau. C'est une pub. Une vieille dame ajuste un corset, en larmes. C'est une pub. Un gros bonhomme gifle un gamin. Une autre? Tout y est? Rien n'y est. Il éteint le poste. Il songe aux centaines de millions de gens sur ce continent qui, ce soir, comme lui, cherchent quoi regarder. Pourquoi se distraire? Se divertir de quoi au juste? À quoi s'attacher? La petite lucarne électronique est devenue un tonitruant magasin général, éléphantesque. Pour faire consommer, on y rit, ou on y pleure. Entre les réclames, on tue, on aime, on est dur, on est tendre. Volcans, tremblements de terre, ouragans, émeutes, manifestations, la terre tourne avec sur son dos ses mille et mille millions de petits écrans allumés. La planète vogue, ses habitants sont tous assis, grignoteurs inlassables, jambes écartées, devant les images des uns et des autres. Lui, Léo, le monstre honni, fait comme tout le monde, l'homme le plus recherché regarde le sempiternel cathodique défilé du monde.

La police et l'armée le cherchent mais aussi les malfrats. Pour en finir avec les perquisitions incessantes, encombrantes, dérangeantes, tous les petits et les gros bandits, des petites et des grandes mafias se sont donné le mot: il faut, au plus vite, se débarrasser de ce bonhomme au visage dégueulasse. Léo le sent. Il se sait menacé par tout le monde. Oui, il se dit qu'il devrait en finir, se tuer, puisque dehors, il n'ira pas loin. Il s'amuse d'avoir lu qu'il se cache au Mexique, ou qu'il est réfugié dans le Grand Nord, accueilli par des aborigènes ou encore enfui en Europe. Un journal dit à Paris. Un autre à Rome. On l'aurait aperçu à Mexico. À la télé, tantôt, il a entendu qu'à Tokyo, un vieux potier l'a rencontré avant-hier. Partout, on aperçoit une ombre terrifiante, une silhouette horrible, celle de l'apiculteur montréalais maudit.

On écoute partout, au cas où. Dans tous les postes de police, des hurluberlus qui disent n'importe quoi.

Il a éteint la télé. Léo boit vite. Trop? Il voit des lueurs? Il aurait trop pris de gin? Il se lève. Il ne rêve pas. Il y a un feu gigantesque. Un incendie. En face, des silhouettes courent partout sur le boulevard du Mont-Royal. Il va allumer la radio et retourne à la rangée des dix fenêtres; il a éteint toutes les lampes. Sur le trottoir d'en face, un va-et-vient fou. À la radio, arrêt subit de la musique, un annonceur d'une voix nerveuse, en paroles saccadées, explique: «Mesdames et messieurs, nous venons tout juste d'apprendre qu'une bombe incendiaire a mis fin au très célèbre sanctuaire du monstre du mont Royal. On me dit que l'incendie criminel ravage le fameux caveau du vieux cimetière juif. Nous n'en savons pas plus pour l'instant, mais nous vous reviendrons.» La musique interrompue reprend aussitôt. Le hasard. Existe-t-il? Ironie du sort: l'ex-proprio de ce fascinant bunker regarde flamber son ancien logis de taupe.

Léo imagine les flammes chez lui, le feu partout, dans ses papiers et ses livres, dans les meubles, les tapis, les tentures. Dans la cuisinette, la chambrette, le salon, le

136

coin des cages. Non sans émoi, il imagine, de l'autre côté du boulevard, son installation ingénieuse, qui lui avait coûté tant d'efforts, s'en allant en fumée. De plus en plus de pompiers s'amènent, de tous les côtés, surtout de la place du Vézinet, au nord de la petite avenue Roskilde. Des clignotants zigzaguent jusque dans l'avenue Springrove. Des voisins se font refouler. Léo éteint jusqu'aux lanternes extérieures. Il a vu des policiers qui sonnent chez les voisins au 1211, au 1207. Il revoit la femme au lévrier qui fait entrer un pompier et deux agents de police. Il n'a pas du tout envie qu'on vienne lui quêter quoi que ce soit. Pas lui, l'homme qu'on recherche partout, l'habitant de ce repaire qui disparaît. L'annonceur de la radio revient. «Ici Adrien Grou, mesdames et messieurs, de notre salle de nouvelles, voici notre reporter sur les lieux de l'incendie du mausolée. William? Tu peux maintenant nous dire ce qui s'est passé?»

La voix de William, angoissée. L'énervé est haletant: «La rumeur parle d'un coup du fantôme, Adrien! Il y a eu bombe en effet.» L'Adrien joue le jeu. «William, comment est-ce possible? Le monstre ne peut courir un si grand risque!» Le William nuance: «On parle aussi d'un milicien, de l'un de ses sbires clandestins. Un porte-parole de la police vient de le confirmer: il s'agit de plusieurs paquets de bâtons de dynamite. Le geste de l'un des miliciens du fameux «colonel Bédard» probablement. Cela a sauté aux quatre coins du logement souterrain. Il s'agirait donc d'un expert en dynamitage, confirme la police. Le fantôme, ou appelez-le comme vous le voulez, Adrien, il est ici, il est partout, invisible, il rôde. J'ai pu voir et entendre, autour d'ici, des badauds qui sont contents, ils se disent heureux du fait, parlant du monstre comme d'un justicier. Je vais maintenant essayer de me rapprocher du foyer de l'incendie, Adrien, je vous reviendrai.»

Léo quitte les fenêtres, va pour fermer la radio qui fait entendre sa musiquette de nuit, quand la voix du cher

William retentit de nouveau. «C'est incroyable, c'est effrayant! Adrien?» «Oui! Quoi donc? On vous écoute, William. Que se passe-t-il?» «Eh bien, tenez-vous bien, chers auditeurs! Nous venons d'apprendre à l'instant, que l'homme arrêté ruelle Saint-Chrisophe, le "bras droit du monstre" disait-on, celui qui se faisait appeler "le colonel", le convertisseur des punks et des skins, eh bien, avec son adjoint Roger Picard, ils ont réussi à s'échapper de la prison Parthenais, il y a à peine une heure. Les autorités ont voulu cacher cette nouvelle, mais elle a coulé.» «Oh! oh! s'exclame Adrien. Le monstre est encore plus fort qu'on croyait, non?» «Sans aucun doute, répond William. Il jouit d'appuis dangereux dans tous les milieux. Une rumeur parle de sauveteurs venus à Parthenais dans des voitures officielles de l'armée. C'est la panique. En haut lieu. Il y a réunion sur réunion aux sommets du monde militaire et policier. C'est la consternation chez le ministre de la Justice qui est revenu en catastrophe d'un congrès qui se tenait à Syracuse.» «Merci William. Chers auditeurs, nous allons évidemment interrompre notre émission *Musique de nuit*. Nos autres reporters entrent au boulot.»

Léo éteint la radio et rallume la télé de nouveau. Il voit le directeur Dubreuil, énervé, abattu, certainement déçu. Le patron d'Asselin parle lentement, surveillant bien chacune de ses paroles. Il tente de rassurer le public. Sa conférence se tient dans une salle du quartier général. On fait voir des photos. Léo revoit d'abord la bonne bouille du compagnon de ses nuits sous terre, Gilles Bédard. Un officier de police lit des feuillets.

«Cet homme, Gilles Bédard, n'avait pas de dossier judiciaire. Il y a plusieurs années, la police municipale le ramassait souvent pour ivrognerie, pour tapage sur la voie publique, vandalisme ou méfaits bénins. La police offre une récompense à quiconque pourra collaborer à sa capture, car ce Bédard est devenu le deuxième suspect dans les sordides massacres survenus récemment. Voici maintenant un autre suspect important.»

Léo voit alors le visage du jeune Roger Picard. Son regard d'un noir saturé, ses paupières bridées, lui donnent l'allure d'un Asiatique, ses cheveux noirs, plats sur sa petite tête très ronde, ses énormes sourcils noirs en broussailles, sa bouche aux lèvres très minces. Il se souvient qu'il n'a jamais aimé ce petit bonhomme au verbe agité, aux regards de dément persécuté. L'officier lit toujours. «Il s'agit d'un certain Roger Picard. C'est un ancien voyou du quartier Hochelaga-Maisonneuve. Il a commis divers délits et a organisé un groupe de skinheads. La police croit que ce Picard était l'adjoint dudit colonel. Il s'agit par conséquent d'un collaborateur à coup sûr de celui qu'on nomme l'apiculteur, ce monstre humain qui commande à toute une faune de meurtriers désaxés.»

Léo ferme la télé. Il se demande bien qui ont été ces audacieux sauveteurs de son ancien «mousquetaire», de son vieux fou, assoiffé de vengeance diffuse, son vieil illuminé qui pleurait sa chère Germaine, son rêveur confus d'un monde meilleur. Il jongle. Où se cachent-ils? Vont-ils fuir à l'étranger? Ont-ils vraiment des alliés chez les militaires comme aimait s'en vanter Bédard lors de ses visites nocturnes au caveau souterrain?

* * *

Ça fourmille de police dans la «Petite Italie», rue Drolet. La maman de Maria a vite communiqué avec les agents de l'ordre, en vain, leur ligne étant sur écoute. Pensez donc, un homme mystérieux qui téléphone pour parler à son aînée, à sa belle Maria. Un homme qui s'est dit «au visage horrible». Ça ne pouvait, bien entendu, être nul autre que l'apiculteur, le dangereux personnage qui a poussé sa fille du bas d'une falaise. Asselin y est venu faire son tour et a recommandé la plus grande discrétion. Il a renvoyé toutes les polices à leurs casernes et il a rassuré les Micone du mieux qu'il a pu.

139

Des enquêteurs remuent, guettent, un peu partout. Aux frontières. Dans les aéroports. Pourtant, une certaine partie de la population vit tout cela avec une sorte d'amusement. Le loustic aime bien ce jeu du chat et de la souris, souris s'identifiant au chassé, pion anonyme de sa propre existence. Oui! le loustic donne sa sympathie au poursuivi. Il est habituel de voir et d'entendre certains badauds se ranger le plus souvent du côté des lascars dans ces histoires de poursuites. Cette fois, avec trop de misère, tout ce chômage un peu partout, la crise qui dure, tant de fragilité économique, tant de malaise moral et si peu de confiance en l'avenir, la récession interminable, cette atmosphère d'inquiétude sociale fait que nul n'a confiance dans les dirigeants. Oui! cette fois, ils sont très nombreux les citoyens qui souhaitent, plus ou moins discrètement, du succès à ces anarchistes qui bravent les autorités, à ce personnage fantomatique, mythique qu'est devenu Léo. Les gens du pouvoir sentent fort bien ce relâchement et s'en énervent énormément. Mais qui peut vraiment blâmer une opinion publique désespérée par les menteurs et leurs promesses?

Dans les ruelles, plein d'enfants qui jouent désormais «le monstre». On vend, à bon marché, des masques à l'effigie horrible du fantôme du caveau. On voit des gamins, dans les rues, déguisés en apiculteurs. C'est l'Halloween perpétuel. C'est parfois aussi, la peur chez les vieilles personnes, chez les parents qui ne sont pas négligents, qui perçoivent bien ce glissement, cet abandon public face à des menaces qu'ils prennent au sérieux. Un public informé, conscient, ne craint pas seulement Dupire et son parti, l'Alliance nouvelle, il découvre l'ouvrage de ces militaires désaxés. Ils suivent avec effroi l'intrigue de ces évasions surprenantes.

* * *

Roger Picard, sorti de prison, a donné des ordres et il a été écouté. Pour un certain temps, il a réussi à éloigner ses délivreurs Cadotte, Beauchemin et Bouchard. Il a déclaré qu'il devait maintenant, en tête en tête, discuter de la suite des événements avec Bédard. De graves décisions à prendre. Les trois sauveteurs les reverront donc demain matin à l'aube. Ils se conduisent tous, très excités, tendus, comme des espions, des comploteurs importants. Bédard, mal remis des passages à tabac, est mal dans la voiture de Picard. Le vieux colonel s'énerve et grogne.

— C'est une bêtise de rouler comme ça en pleine ville, Roger.

— Ça sera pas long mon colonel, vous allez voir. Faites moé confiance, hostie!

— J'ai une blonde pas loin d'ici, dit Bédard, à Saint-Télesphore, on pourra aller s'y cacher. C'est une vieille fille alcoolique sans foi ni loi, mais toujours prête à m'aider.

— Pas question! J'ai des ordres, colonel: il faut qu'on aille voir le général Proulx.

— Eddy? À cette heure du soir? Après ce qui vient de se passer?

— Il le faut. C'est un ordre, je regrette Bédard.

— C'est moi qui donne des ordres, mon petit bonhomme, l'as-tu oublié?

— Non. Plus maintenant, c'est le général.

— Où c'est que tu me conduis pour l'amour du Christ?

Picard ne dit plus rien. Il sourit. Il sait où il va, Picard, il sait qu'il y a un revolver dans le coffre de son auto, avec un silencieux. Il sait où il va, Picard l'ambitieux. Il se souvient très bien de ce que lui a dit le général Proulx, il prend la voie Camilien-Houde.

– Tu me ramènes pas à ma caserne toujours?

– Non, non! Faites-moi confiance Bédard.

«Il ne m'a jamais traité comme ça», songe Bédard. Dès lors, il sait qu'il est en danger. Picard gare sa voiture dans le stationnement de l'observatoire. Il sort et va ouvrir la porte du coffre. Il prend le revolver, ajuste le silencieux et fait sortir Bédard.

– Marche devant Bédard et rapidement, c'est un ordre de Roger Picard en personne.

– As-tu viré fou, Picard? C'est moi qui t'ai tout appris, t'étais rien qu'un voyou de la rue Adam.

La nuit de ce 19 juin est splendide. Toute la ville scintille d'est en ouest. Un immense tapis lumineux. Il le pousse vers l'escalier de pierres à côté. Bédard marche en grognant.

– Est-ce qu'Eddy est là-haut? Au chalet?

– Oui. Il est en charge de la sécurité pour la réunion des ministres après-demain. Et le chef de l'Alliance, Dupire, compte beaucoup sur lui. Commencez-vous à comprendre? C'est pas vous, vieux con, c'est l'Alliance nouvelle qui va prendre le pouvoir!

– C'est risqué, Eddy sera furieux, on doit nous rechercher partout. Picard, tu vas te faire engueuler, je te préviens.

Il parlait en vain. Picard remplissait une commande. Un contrat, dirait la pègre. Picard aimait, ne cherchait que ça, obéir. Obéir à un supérieur. À un vrai supérieur. Pas à un colonel bidon. Ils marchent le long du sentier paysagé. Lumières dans les fenêtres de l'Hôtel-Dieu, puis dans celles du Royal Victoria. Il y avait une falaise maintenant, énorme.

– On est rendus, colonel. Faites votre prière.

Bédard a entendu. Le bruit d'un revolver qu'on arme d'un geste. Roger Picard obéit à la lettre. On lui a bien dit de s'arranger pour qu'il soit jeté d'une falaise, afin que l'on croie à un autre règlement de compte de l'apiculteur envers, cette fois, un ex-disciple déchu.

– Pas de farces, Roger. Tu vas pas me tuer comme ça!

– J'ai des ordres, Bédard. J'obéis. Vous m'avez enseigné ça, l'obéissance.

– Qui t'a demandé de me tuer? Le général? Eddy?

– Saute maintenant! Saute!

– Je vais me tuer.

– Saute. Je vais tirer. Tu souffriras pas.

Ça lui fait du bien de le tutoyer. Soudain, Bédard saute dans le vide. Picard tire une balle de son silencieux. Un sifflement discret. Gilles Bédard s'est senti si vieux soudainement. Tout s'écroulait. Eddy le trahissait, même lui. Alors, Bédard a sauté. Et Picard a tiré. En même temps. Demain, comme ça, on retrouvera encore un homme, au bas d'une falaise du mont Royal, les jambes cassées. Ce sera donc signé. Il y a la ville plus lumineuse que jamais, dirait-on, quand Picard s'en retourne. À gauche, tout en bas, l'ange gardien et ses lions lui tournent

143

le dos et les ailes de bronze. Pas loin, cet hôpital où on a soigné Maria. Le monde est si petit. Picard regarde l'autre vieil hôpital, plus à droite, Royal Victoria. Et encore sa ville pulsante, clignotante. C'est très beau, même pour celui qui vient de tuer. Deux garçons s'amènent. Picard remet son arme dans son sac d'épicerie en plastique blanc. Le vent se fortifie subitement.

— C'est beau la ville en pleine nuit, pas vrai?

Ils sont mal vêtus. Celui qui vient de parler a une crinière blonde d'une formidable épaisseur. Il a la peau rosée des adolescents en santé avec une démarche fière. Un visage rondelet, des yeux d'acier d'un gris pâle. Il va près du lampadaire, se colle aux tuyaux de la balustrade et sourit à Picard. Il a l'air heureux. Son copain, plus vieux, plus gras, plus ramassé, est moins grand, déjà un peu chauve. Les deux jeunes sont joyeux. Ils n'ont pas peur des actualités. Ils sont braves. Et rares. Sans doute les seuls promeneurs sur le mont Royal cette nuit.

— Voulez en fumer un, monsieur?

Le blond sort un joint et l'allume avec un antique briquet de métal, lourd.

— Non, je ne fume pas. Et je ne bois pas.

Picard lève son sac de marché devant son cœur. Il se demande bien d'où sortent ces deux témoins gênants. Ont-ils vu pour le colonel?

— On vient du Lac-Saint-Jean. On est deux poètes, vous savez.

L'autre garçon rit, mal à son aise.

— Disons plutôt qu'on voudrait devenir des poètes un jour.

144

Picard regarde la ville aux millions de lumignons qui battent. Il se dit que si ces deux garnements ne s'en vont pas, il sort l'arme et les abat. Il n'y a plus à faire de quartier, à ménager quoi ou qui que ce soit. L'heure H est toute proche. Le monde va changer. La vie va se transformer par ici.

— Il m'appelle Verlaine. Il m'appelle *Sanglots-longs-de-l'automne.*

— Oui, et moi il m'appelle Arthur. Vous comprenez? *Quoi, l'éternité? C'est la mer en allée avec le soleil.* Comprenez-vous?

Picard ne les écoute pas et compte jusqu'à vingt. À vingt, s'ils restent là, il tire.

— On dirait qu'on entend comme des râles en bas du ravin. Je rêve pas, monsieur?

— On est jeunes, dit le blond. On rêve. On aime tout, la musique, le théâtre, la peinture. Surtout la poésie. C'est très brillant Montréal, la nuit!

— Vingt!

Picard a crié «vingt». Il a sorti son revolver en entendant le mot «poésie», d'un seul geste. Il a tiré. Le petit brun d'abord et puis le grand blond. La lumière d'un lampadaire, loin, fait voir deux jeunes garçons qui sourient, couchés l'un sur l'autre. Picard est fier de lui. Il devient vraiment dur. Il a hâte d'avoir d'autres ordres du général Proulx. Il entend des grognements, oui, on pourrait dire des râles. C'est sans doute Gilles Bédard qui crève, qui agonise. Picard s'en va. Il murmure pour lui seul: «On pourrait croire à un raton laveur blessé.»

Picard marche vite vers l'escalier et sa voiture stationnée à l'observatoire. Il y court. Satisfait. Rien ni personne ne pourra plus jamais l'arrêter. Il est en pleine ascension, se dit-il. Il est seul dorénavant pour commander aux miliciens. Le sang y a mis le prix. Il ne regarde rien. Il va vite. Il ne voit pas ce ciel de juin rempli, ce soir, d'étoiles fines, ce noir violacé, cette lune d'un jaune très vif qui lutte dans le cosmos dans des filaments mauves, Picard, non, n'observe rien. Il va vers son nouveau destin. Après le grand coup qui se prépare, il se voit déjà en haut des listes. Il sera bientôt au sommet. Il va devenir une éminence, du côté qu'il aime, celui de la force. Celui des fusils, des couteaux. Cela l'excite dans tout son être.

Malheureusement pour lui, en bas de l'escalier, il y a deux voitures. Dans l'une, toute proche de l'escalier, il aperçoit un jeune couple, lui est un rouquin, chevelure d'orange luisante, elle a la peau noire. Il fait sortir le gars, il a repris son revolver muni du silencieux. Il lui recommande de déguerpir. Le rouge se sauve en tombant, en courant. Picard baisse son pantalon, entre dans la vieille voiture verte mais de l'autre voiture, stationnée à l'autre extrémité du parking, sort un grand type, un bonhomme que Picard connaît bien. C'est Eddy, oui, le général Eddy Proulx. Lui aussi a son monde à commander. Il a son plan. Il a son programme. Il a fait un petit geste au-dessus de son épaule gauche et on voit le malingre Ryan qui sort à son tour de l'auto. Ryan a un fusil, du même type que celui de Picard. Eddy frappe dans la portière, quelques coups de pied. C'est qu'il est pressé. Pas le temps, lui aussi, d'admirer le ciel si beau sur Montréal illuminé en ce soir de juin. Picard se sort le nez, puis la tête, le corps. Eddy lui a pris son fusil, il a ses gants. Ce sera toujours le fusil de Roger Picard. Il ouvre le bec.

— Mon général, ça y est. C'est fait, le colonel n'existe...

Il n'a pas pu finir. Ryan et Eddy le ramassent et le jettent dans le ravin, criblé de plusieurs balles et sans culotte.

10

Une bien belle journée encore? Ailleurs, oui, il fera doux temps, beau temps, mais ici, toute cette histoire d'un enlaidi semant la mort fait que les gens, au lever du jour, ne parlent plus jamais de la température comme on fait toujours un peu partout ailleurs dans le monde. Un taxi a roulé de Mirabel vers Montréal. Les DeSereau ne savent pas encore dans quelle soupe horrible ils vont entrer bientôt. Ils savent des bribes. Ils ont pu entendre les grandes lignes de cette épouvantable aventure se déroulant à Montréal. Ils étaient heureux en voyage, monsieur et madame, légers et contents, la Grèce étant un si beau pays, un archipel si envoûtant, n'est-ce pas?

Léo a passé la nuit debout. De l'autre côté du boulevard, il a vu la ruine d'un rêve insensé, le départ des policiers et des pompiers. Les rubans jaunes que l'on étire pour protéger un lieu d'enquête. L'aube allait monter. Il avait fait un téléphone à l'aéroport. Pour savoir l'heure d'arrivée des proprios du 1215 qu'il squatte. Il y a eu erreur, cela arrive, alors il a cru qu'il avait un peu de temps

147

devant lui et il a essayé de se rendormir. Il a très mal dormi. Il a fait un cauchemar. Pis encore que l'existence qu'il doit mener depuis qu'on l'accuse d'avoir la manie de jeter les gens en bas des ravins. Un rêve surréaliste: il y avait des bêtes féroces, une fillette, aveugle, qu'il fallait protéger, un antique château croulant, plein d'esprits frappeurs, tout un monde de bêtes inconnues grouillant, menaçant, abject. Il n'arrivait pas à retrouver la jeune infirme réfugiée, il ne savait où, dans ce labyrinthe aux murs rongés par des plantes carnivores imaginaires. Mandragores surréalistes. Réveillé en sueur, il s'était dit qu'une bonne douche le remettrait d'aplomb avant l'arrivée du sénateur en deuil et de son épouse.

DeSereau fait déposer les sacs, les deux grosses valises, par le *taximan*, sur le perron du 1215. Sa femme est soulagée, très heureuse de retrouver la maison. Elle va faire quelques pas dans les passages à gauche et à droite de sa demeure. Lui, il a d'abord jeté un long regard sur les murs, les fenêtres pour voir si... On fait toujours ça rentrant de voyage. Pour rien.

Il lui semble que rien n'a bougé. Les rideaux dans les deux dizaines de fenêtres, celles d'en bas et celles de l'étage, sont bien là. Le quartier est bien là, inchangé. C'est rassurant. Il ne peut pas savoir qu'il y a, sous la douche, un monstre humain, l'homme le plus recherché du pays. Madame le sénateur chantonne et fouille dans son sac à main, puisque monsieur ne retrouve pas son trousseau de clés. Comment pourrait-elle deviner qu'il y a dans sa salle de bain un homme défiguré, un être humain à face d'apocalypse? Le couple entre. DeSereau n'est plus jeune, d'avoir traîné les valises au salon l'a déjà essoufflé et il va s'écraser sur le canapé face à la cheminée. Déjà, il a pu constater des restes d'aliments sur la longue table basse en verre sur cage de fer forgé. Jeanne aussi, une femme, a remarqué un certain désordre.

— Le frère de Maria a fait du dégât, non?

148

– Oui. Il est peut-être fort pour soigner des roses malades mais ce n'est pas Maria, visiblement.

Jeanne ramasse un journal répandu, des mouchoirs de papier, une cafetière salie.

– Ce Léon est peut-être encore ici. Au sous-sol? Maria lui aura dit qu'il y a une petite chambre pour des domestiques.

– Il n'est certainement pas parti en laissant ainsi tant de traîneries.

Le sénateur montre des vêtements, une chemise près d'un fauteuil, un soulier près du téléviseur. Dans le coin bibliothèque, des chaussettes. Des pantoufles, les siennes, sous un bahut. Un mouchoir taché. Un manteau suspendu à un aigle de marbre gris sur un socle de chêne.

– Va voir au sous-sol, je monte me changer mais, d'abord, prendre mon bain.

Ainsi fonctionne le destin, ainsi se prépare l'horreur et pas seulement au cinéma ou dans les romans noirs. Jeanne DeSereau n'est plus très jeune et n'a jamais joui d'une forte santé. Elle grimpe lentement le bel escalier et voit des taches sur le tapis. Du vin? De la tomate? Comment dire? Ce Léon Micone, se dit-elle, va savoir de quel bois elle se chauffe. S'il est reparti, elle téléphonera aussitôt à Maria pour en savoir plus long sur un frère si malpropre. Elle va à sa chambre, y jette des vêtements, en sort et va vers sa salle de bain, entend du bruit.

– Est-ce qu'il y a quelqu'un?

Le silence n'est rompu que par ce léger bruit de friture. Du couloir du haut de l'escalier, de sa chambre, du

149

petit couloir, il lui semblait entendre le bruit vague d'une eau qui coule. Elle ouvre la porte de la salle de toilette. Le bruit augmente, puisque c'est l'eau de la douche qui coule.

– Qui est-ce qui est là? Est-ce vous monsieur Léon?

Pas de réponse alors avec une brosse à cheveux, elle cogne sur le comptoir du meuble-lavabo. Elle frappe de plus en plus fort et crie.

– Qui est là? S'il vous plaît? Monsieur Micone?

Le rideau de douche s'ouvre et Jeanne DeSereau voit. Frayeur indicible! Muette, elle recule, elle se dit qu'elle vient de voir la mort, sa mort. Ce masque funèbre, dantesque, elle se prend le cœur, vacille sur ses jambes. L'apparition funeste sort du bain, nu, dégoulinant, face infernale. Jeanne s'écroule. C'est la fin? Elle veut crier, mais n'y arrive pas et tombe sur le carrelage bleu. L'homme de granit sanglant a ouvert les bras trop tard, sa tête frappe les tuiles du parquet en mosaïque. Dans un geste dernier, Jeanne a entraîné un plein panier d'osier et tout roule: fioles de parfum, bouteilles diverses, produits de beauté d'usage général. Elle ne bouge plus. Comme morte. Léo l'enjambe, s'empare de la robe de chambre au crochet de la porte et sort. Ils sont donc revenus plus tôt que le prévoyait, à l'aéroport, cette téléphoniste mal informée. Il a peur à son tour. La carabine de chasse est restée dans la chambre principale. Il faut vite s'en emparer.

Le sénateur parle.

– Jeanne? Jeanne? Qui a fait tout ce bruit? C'est toi, Jeanne?

Léo ne bouge pas, retient son souffle. Il avait planifié la prise de deux otages, d'un couple, il n'y en a plus qu'un, lui.

– Jeanne? Ce Léon n'est pas au sous-sol. C'est un vrai cochon et peut-être un voleur.

Il monte lentement l'escalier.

– Oui, imagine-toi donc qu'il a pris la plus belle de mes carabines!

Ça y est. C'est son tour. Léo, tout de même, a eu le temps de se couvrir le visage avec une pièce de rideau de nylon arrachée d'une fenêtre. Il la fait tenir en se plaquant un chapeau de paille sur la tête. Le sénateur voit donc, dans sa robe de chambre, un géant debout dans une flaque d'eau, masqué, les jambes écartées, les poings fermés qui lui dit calmement:

– C'est moi, le fusil du sous-sol.

Jean DeSereau eu a vu d'autres, il a eu une enfance plutôt dure. Il a pu se sortir de son milieu grâce à son travail. Pour étudier le droit plus tard, pour réussir, il a su se dévouer aux chefs politiques qui comptaient. Il a su mettre ses services de brillant criminaliste du bon côté, de la bonne couleur, celle des pouvoirs en place. Il a déjà rencontré des bandits, il y en a tant en milieux politiques. Il a côtoyé, malgré lui, des lascars de toutes catégories, ils pullulent dans les officines des partis politiques. Il lui a fallu brasser des affaires avec des voleurs en complets-vestons bien propres. Une société de malfrats cravatés, des filous aux ongles propres. Cette fois, il a devant lui une bizarrerie. Pourquoi ce chapeau de paille de sa femme et ce morceau de tulle, de moustiquaire sur le visage? Il pense: «Quelqu'un qui ne veut pas que je le reconnaisse au moment de l'enquête, s'il se fait attraper un jour.»

– Vous pouvez vous en aller, je ne dirai rien. Je téléphonerai à la police quand vous voudrez, monsieur. Dans deux heures si vous voulez. Pas avant. Je vous le promets.

— Entrez dans votre chambre et taisez-vous.

DeSereau arrive mal à comprendre cette voix posée, grave, chaude, et ce voleur masqué. Soudain un déclic, il se souvient de leur femme de ménage, en veine de confidence, qui racontait «la honte de la famille», un frère aîné qui a mal tourné. Ce serait lui? Léon.

— Je sais qui vous êtes mais ne craignez rien, je ne dirai rien à votre sœur Maria. J'ai des assurances, prenez ce que vous voulez et partez. Je casserai une fenêtre, une porte.

— Entrez vite et taisez-vous.

Léo agite la carabine.

— Êtes-vous Léon? Vous êtes celui à qui on a parlé au téléphone non?

— Dépêchez-vous, la chambre, en silence.

Léo a pensé à tout. Il va se servir de ce monsieur-le-sénateur, il sera l'indispensable otage. Il va pouvoir rouler en paix, jusqu'au Mexique s'il le veut. Mais sans Maria, il le sait, il ne veut aller nulle part. Une folie. Rouler où? Si on s'approche de la voiture aperçue au garage, une Buick grise, il menacera l'otage de mort. Mais on n'en fera rien. Il a vu qu'il y a un téléphone dans l'auto. DeSereau entre dans la chambre, certain d'y joindre sa femme. Il sursaute face à la chambre vide.

— Où est ma femme? Où est elle?

— Je l'ai enfermée dans la salle de bain. Bâillonnée, ligotée.

— C'est inutile. Ma femme est malade du cœur, comme moi, c'est dangereux. Laissez-moi aller la rassurer.

152

– Non, on n'a pas le temps.

Impuissant, DeSereau, deux larmes qui coulent, tombe assis sur son lit. Léo fait coulisser d'un geste une des portes du vaste placard de la chambre, sort un habit. Heureusement que le sénateur, plus gros que lui, est de la même grandeur. Pratique. En vitesse, il se choisit des vêtements, un habit gris, un manteau imperméable. DeSereau le voit qui s'assoit au pied du lit. Léo a trouvé un rouleau de coton à pansement et du diachylon. Il commence à se masquer après s'être arraché, d'un geste, la moustiquaire et le chapeau. DeSereau en a un cri de stupeur, détourne la tête, regarde la rangée de fenêtres ensoleillées. Il a compris à qui il avait affaire.

– Vous êtes... Vous êtes vraiment... Lui? Celui qu'on nomme l'apiculteur?

DeSereau n'en revient pas de tant de hideur, de ce visage cauchemardesque. Cette épouvantable face qui, peu à peu, se recouvre de bandes de coton. On dirait bientôt l'«homme invisible» du cinéma populaire.

– Laissez-moi aller rassurer ma femme, quelques instants. Je vous en prie.

– Non! Nous n'avons pas une minute à perdre. Chaque minute qui passe, on peut m'abattre. Vous savez qui je suis, alors vous savez que je ne vaux plus rien, qu'on a donné l'ordre de «tuer à vue» à tous les flics et les soldats qui me cherchent. Nous partons.

– Pour aller où?

Léo le bouscule, l'a forcé à se lever du lit à la pointe de son fusil. Ils descendent l'escalier. En bas, Léo lui indique la porte de la cave, puis, rendus au sous-sol, la porte intérieure qui conduit au garage du 1215.

153

— Vous allez conduire. Obéissance totale, sinon le Sénat comptera un membre de moins.

Difficilement, DeSereau tente de rester calme. Il se dit qu'il fait mieux d'en finir au plus tôt en faisant exactement et rapidement tout ce que cet homme voudra. Avec une télécommande, il fait s'ouvrir la porte du garage.

— Où est-ce que je dois vous conduire?

— Sortez la voiture. On ne sait pas, il y a peut-être un grand héros, pressé de l'être, qui me guette dehors. Sortez la voiture, lentement sénateur, qu'on vous voit bien.

Un déclic et la porte du garage se referme derrière la Buick grise qui recule, stoppe, s'avance au milieu du boulevard. Il n'y a personne. Plus loin, du côté du cimetière juif, un gardien lit un journal, appuyé à un lampadaire.

— Tournez à gauche, allez vers Côte-Sainte-Catherine.

Assis sur le siège arrière, Léo se détend à peine.

— Avec vous, monsieur le sénateur, on peut rouler pendant des jours et des jours, vous croyez pas?

— Finissons-en, voulez-vous de l'argent? Combien? J'en ai. Beaucoup.

— Non. Je veux du temps. Seulement du temps. Arriver à oublier une femme.

DeSereau se tait. Il n'arrive absolument pas à comprendre qu'un tel homme parle d'une femme. Soudain, le ciel est devenu tout gris. On sent la pluie qui va tomber. Léo a vu, en passant, l'avenue McCulloch, près de là où il a croisé la beauté, la bonté, la jeunesse, un amour impossible, un mirage de Maria cueillant des fleurs.

— Prenez vite votre appareil cellulaire et téléphonez à Maria. Vous allez lui dire les dégâts chez vous, lui dire que vous venez la prendre chez elle, rue Drolet où elle vit maintenant.

DeSereau sort un carnet et compose chez les Micone.

— Vous êtes certain qu'elle n'est pas à Verdun?

— Oui, sûr.

— Elle y a son fiancé, Stephen. Elle était là le plus souvent, avenue Rielle.

— Stephen King est mort, monsieur!

— Hein? Quoi? Comment cela?

— J'ai su, c'est tout.

Léo, avant les arrivants de Mirabel, avait entendu à la radio: «Stephen King, compagnon de Maria Micone, la femme blessée par le monstre, a été trouvé pendu à un arbre du parc Angrignon, à l'ouest de Verdun. Un billet trouvé sur lui disait: "Adieu Maria. Sois heureuse!"»

Le commentateur de CKAC parlait d'une Maria refusant de vivre avec King, un jeune plombier. Il avait ajouté que la police surveillait jour et nuit la demeure de ses parents où elle se remettait de sa chute au mont Royal.

— Ça sonne. Qu'est-ce que je lui dis au juste?

— Que vous venez la chercher.

155

— Allô, Maria, c'est le sénateur DeSereau à l'appareil. Nous sommes rentrés plus tôt, j'ai une sœur dans un salon funéraire en ce moment.

Un silence. Maria devait lui souhaiter ses condoléances.

— Merci Maria, merci. La maison a souffert de la visite d'un cambrioleur. J'ai besoin de vous. Je suis en route pour vous prendre, rue Drolet.

Il a raccroché. Elle lui a dit qu'elle ne veut pas. Qu'elle ne peut pas. Qu'elle marche avec des béquilles.

— Impossible. Elle refuse. Elle est en béquilles.

— Tournez à gauche, vite, passez par la Côte-Sainte-Catherine, nous allons chez elle, veut, veut pas.

DeSereau obéit comme un enfant docile. Il fonce vers la «Petite Italie». Soudain, le téléphone résonne dans la Buick grise.

— Qui ça peut-être? Je réponds?

— Répondez. Décrochez vite. Vous direz n'importe quoi, paraissez calme.

DeSereau décroche, sa voix va trembler un peu. Il en a vu d'autres, c'est entendu, mais ce monstre, cette momie avec la carabine pointée dans le dos du siège. Il tremble un peu.

— Oui, j'écoute.

— Passez-moi monsieur Longpré. Il est avec vous n'est-ce pas?

Le sénateur met la main sur l'appareil, il baisse la voix.

– Un homme veut vous parler, votre nom est bien Longpré?

Léo est stupéfait. Il doit penser vite. C'est cet appel chez Maria. La police. La ligne sur écoute, Maria qui dit: «C'est mon ancien patron, le sénateur DeSereau.» Ça n'a pas été long. Le sénateur lui offre l'appareil.

– Qu'est-ce que je fais?

– Dites à ce monsieur qu'on le rappellera.

– Monsieur Longpré ne veut pas vous parler monsieur.

DeSereau écoute un peu trop longuement au goût de Léo puis se retourne, après s'être garé le long d'un trottoir.

– Vous le connaissez bien, il paraît, il se nomme Charles Asselin. Il dit qu'il veut vous sauver la vie. Qu'il le peut, que lui seul le peut.

Léo Longpré songe à son ex-prisonnier du terrier, à ce limier si calme, si serein. Quoi faire? Ce qu'il veut, c'est, au moins une minute, revoir Maria. Lui parler, lui dire qu'il l'a aimée tout de suite, la remercier de ne pas avoir eu peur, de n'avoir pas été dégoûtée, comme les autres, comme tout le monde, comme Jeanne DeSereau tout à l'heure. Il n'est pas fou, il sait bien que sa vie achève, que son histoire doit finir maintenant, que son sinistre roman doit aboutir. Il sait qu'il n'y a plus d'espoir, qu'il est guetté, proie publique, cible facile, jour et nuit, partout. Qu'on finira par le tirer comme on tire un lièvre perdu sans importance. Voir Maria et puis mourir? Il est d'accord avec son piètre destin.

– Passez-moi l'appareil.

Le sénateur en est soulagé. Le vent devient agressif et la pluie tombe maintenant. Les autos ralentissent, coin McEachran, devant le vieil édifice rococo peint blanc et marqué «Outremont». Au loin, quelques coups de tonnerre. Léo hésite à ouvrir la bouche, il sait qu'il est complètement cerné, que des tas d'officiers tricotent mille pièges pour le prendre.

– C'est moi, Longpré.

Alors l'enquêteur Asselin lui parle tout doucement. Il lui raconte les nouvelles très fraîches: on a trouvé, tôt ce matin, le cadavre de Gilles Bédard dit «le colonel», en bas d'une falaise du mont Royal, et puis le corps de deux adolescents, enfin la dépouille de Roger Picard. Un faux suicide avec, à la main, un «silencieux». Asselin lui explique, plus grave, qu'on veut encore le charger de tous ces nouveaux meurtres. Toujours le coup d'un ravin, pour imiter sa signature quoi, depuis une Maria trouvée les jambes fracturées.

– Qui fait ça? Qui veut ma perte?

Alors, aussi calmement, Asselin lui raconte ce qu'il sait. Il parle d'un certain Rosaire. D'un candide que la police a relâché après l'avoir questionné à fond. Un certain Rosaire Lalonde d'Oka, homme à tout faire et pensionnaire à la Maison Jésus-Marie. Ce dernier a beaucoup parlé.

– Il a parlé de vous, Longpré. De votre ami, le colonel. De vos réunions nocturnes. D'un certain zoophile, André Dastous. Des ex-punks convertis du 4185 Côte-des-Neiges, Picard et Glass. L'inspecteur prend une voix plus grave pour lui révéler les derniers bavardages de ce Rosaire. Il lui parle de Beauchemin, de Bouchard, de

Cadotte. Du gardien Denis Potvin à Parthenais. Vous pouvez m'aider Longpré. Est-ce que vous les connaissiez?

– Non. Pas du tout. J'ai vu Glass et Picard, c'est tout, je les ai déjà chassés de mon bunker.

– Ce monsieur Rosaire a parlé aussi des amis du colonel qui seraient de hauts gradés dans l'armée. Saviez-vous ça aussi?

– Bédard aimait se vanter.

– J'ai besoin de vous voir, Longpré, absolument.

– Jamais. Jamais.

– C'est très grave. Le gouvernement se réunit de façon extraordinaire, demain, au chalet du mont Royal. Vous pouvez m'aider Longpré.

Asselin est debout dans son bureau qu'on lui a aménagé rue Saint-Dominique, près du marché Jean-Talon, au-dessus d'une station de pompiers, là où il y avait jadis une succursale de la bibliothèque municipale. Ils sont tous là, les gros cerveaux, les spécialistes. Les expérimentés en affaires complexes. Ils sont tous ensemble. Dubreuil, le directeur, se tord les mains. Il peut tout entendre puisque Asselin fait fonctionner le téléphone-conférence. Dehors, la pluie tombe en trombes. De furieux coups de tonnerre interrompent ce dialogue tendu.

– Écoutez-moi Longpré. Vous n'irez pas loin. On veut vous faire porter le chapeau. Je sais moi que l'on cherche à camoufler quelqu'un. Quelque chose de grave. Un complot peut-être.

– Je m'en fous. Je voudrais seulement que vous m'aidiez à revoir Maria Micone. Le pouvez-vous?

159

Un silence. Asselin regarde Dubreuil, clins d'œil qu'on s'échange.

– Oui. D'abord, vous devez vous rendre ici. On vous protégera.

– Jamais, j'ai dit, jamais!

– Alors vous ne verrez jamais Maria.

L'enquêteur Asselin a élevé la voix. Il a pris son ton définitif quand il est exaspéré, à bout de patience avec un suspect.

– Vous comprenez? Ça ne sera pas long qu'on va vous abattre. Comme un chien, Longpré. Un chien. Ce que vous n'êtes pas, je le sais moi.

– Pourquoi aller chez vous? Pour me faire coffrer?

– On a besoin de vous. Vous en savez tout de même plus long que le pensionnaire des religieuses, Rosaire, non?

– Pas sûr. Je ne sais rien. Adieu!

Léo a envie de raccrocher. Au volant, le sénateur tente de le calmer, de le rassurer.

– Faites confiance aux autorités.

– Ta gueule, sénateur!

Asselin crie dans l'appareil, il craint l'échec de ces pourparlers.

– Léo? Écoutez-moi: il se prépare un drôle de coup. Je vous le répète. Il y a peut-être des militaires désaxés qui fomentent un grave attentat.

160

– Je peux pas vous aider.

– Si, vous le pouvez. Venez ici. Vous nous direz ce que vous avez pu entendre lors de vos nuitées avec vos mousquetaires.

– Questionnez plutôt André Dastous.

– Il a disparu. Sa mère ne sait pas où il se cache.

– Je ne sais rien, je vous le répète.

Un coup de tonnerre fait un fracas assourdissant. Un silence suit. Une fois de plus, Asselin hausse le ton, se veut autoritaire.

– Comprenez donc que le temps presse. Demain, c'est le 20, jour de la réunion du cabinet des ministres au chalet.

– Que voulez-vous que ça me fasse?

Léo a claqué l'appareil et le remet au sénateur. Ils remarquent une voiture de police. Pas loin. Stationnée dans l'avenue McEachran. La pluie est devenue folle, tombe dans tous les sens, mais les coups de tonnerre s'éloignent. Une buée s'est formée dans toutes les vitres teintées de la Buick grise.

– Allons-nous-en. Démarrez, vite!

– Pour aller où?

– Au 7068 de la rue Drolet.

– Chez les Micone?

– Oui. Vite!

— Ils doivent tous y être, la police, l'armée!

— Tant pis. Partez, vite. J'ai absolument besoin de revoir cette femme. Absolument!

Léo met le canon du fusil sous le nez du sénateur. Il redémarre. La voiture de police démarre derrière eux et les suit.

— Ça y est, on est repérés et je préfère ça, cher sénateur!

— Eh bien pas moi. On peut rencontrer un zélé, un con, un écervelé de policier qui voudra jouer au héros. Ma vie est en danger avec vous.

La pluie cesse peu à peu. Le sénateur roule lentement, anxieux, énervé.

— Taisez-vous. Vous avez pas assez vécu, pas assez joui de la vie, c'est ça?

— Personne ne veut mourir, Longpré.

— C'est injuste. Il y a des limites à la belle vie. Ça suffit dans votre cas. Suffit la croisière, le repas fin, l'alcool de prix, le grand confort. Vous avez eu votre part. C'est terminé DeSereau. Vous allez crever avec moi, sénateur. Avec la momie vivante.

Léo s'entend rire et sait que c'est faux. Il n'a pas envie de rire. Le sénateur, sur le viaduc Rockland, ralentit.

— Taisez-vous et regardez ça.

Cortège dans la rue Beaumont où va s'engager la Buick. Procession énorme de voitures de tous les corps

162

de police. Il y a plein de soldats dans des jeeps au garage du coin du boulevard L'Acadie. On peut voir d'autres soldats, fusils-mitrailleurs en main, des deux côtés de la station de métro L'Acadie.

– Allez à Jean-Talon par L'Acadie et tournez vers l'est.

– Vous avez tort. Vous ne la verrez pas et ils vont vous abattre.

Le téléphone sonne sans cesse dans l'auto. Exaspérant pour Léo.

– Vous tournerez à droite rue Saint-Dominique quand on y arrivera.

– Ah! Vous voilà raisonnable, Longpré.

– Pas pour eux. Je veux revoir le marché Jean-Talon une dernière fois.

Léo regarde la gare Jean-Talon où il allait flâner certains dimanches, enfant, pour rêver, pour voir et entendre les trains arriver et repartir. Là, il voyageait en pensée. Léo se sent tout mou, tout flou. Il se dit qu'en effet il achève. Qu'il va bientôt crever comme un chien perdu, sans collier. Qu'il apercevra peut-être Maria sur le balcon, un seul instant. Il sortira. Il y aura un tireur d'élite, un du SWAT, qui va le prendre dans sa mire et ce sera la fin de sa misère d'homme laid. Paf! Fin du cauchemar. Il ne reverra plus rien, ni la gare Jean-Talon de son enfance ni le marché Jean-Talon où il suivait sa mère tous les samedis, avec la voiturette à remplir de légumes à bon marché.

La Buick grise sort du tunnel Jean-Talon et traverse la rue Clark. Léo décroche le téléphone qui ne cesse de sonner.

163

— Inutile. Inutile de sonner. Je vois Maria rue Drolet d'abord. Après on verra ce que j'ai à vous dire. Avertissez vos tueurs que j'arrive, si on m'abat vous ne saurez rien du tout.

— Un instant, Léo, un instant. Je veux vous dire, votre Maria, elle a connu à l'Hôtel-Dieu un fameux chirurgien qui jure qu'il peut vous réparer le visage.

Un silence. De quoi parle-t-il? D'un médecin? Quand tout est fini, quand s'achève sa chienne de vie. Léo veut se suicider rue Drolet et cet inspecteur lui parle d'un chirurgien. Un très long silence.

— C'est sérieux, Longpré. Il se nomme Alain Grandbois. Il a promis à Maria de vous aider, c'est un médecin éminent en la matière, il revient d'études spécialisées en Suisse.

Léo se tait de nouveau. C'est un piège de policier, c'est un appât, l'hameçon classique.

— Finissez-en Longpré, avec ce défilé policier derrière la Buick. Venez rue Saint-Dominique, vous serez en sécurité.

Léo a raccroché de nouveau. Dans la rue Saint-Dominique, c'est un carnaval, un cirque, le festival des flics. Il y a des véhicules partout. La Buick passe entre deux haies d'autos de police. Des agents en civil avec un téléphone à l'oreille. Des camions, des motocyclettes. Ne manquent que les chars d'assaut! Ça grouille de gendarmes variés jusqu'au poste de pompiers. Un petit soleil timide se montre au-dessus de la «Petite Italie». L'inspecteur est debout et voit, par les fenêtres du bureau, l'attroupement. Il gueule à son directeur.

— Vite, il arrive! Donnez l'ordre à tout le monde de s'éloigner. Ils doivent se disperser, qu'ils aillent boulevard Saint-Laurent, n'importe où, ailleurs. Cet homme se sent traqué et il pourrait bien se tuer d'un moment à l'autre.

Des ordres sont aussitôt donnés, mais en vain. C'est une sorte de fête. C'est l'euphorie. Léo, rapidement, prend conscience que son chauffeur-sénateur ne pourra plus avancer. De partout, s'agglutinent les badauds. La radio et la télé, puisqu'on sait bien que les nouvellistes espionnent les ondes de police, ont pu annoncer l'arrivée du fantôme et de son otage. On s'amène d'un peu partout. Il y a dans l'air une sorte de joie brouillonne. Le monstre est un héros puisqu'il a su, si longtemps, échapper aux forces de la loi et de l'ordre. Les populations, de tout temps, estiment toujours le bandit audacieux, c'est bien connu. Léo voit les gens du marché public avec des corbeilles de fleurs, ou des sacs de légumes avec des boîtes de plantes vertes, ils marchent tous vers la rue Saint-Dominique, vers le poste des pompiers, là même où durant la Crise d'octobre, en 1970, on avait de la même façon installé un Q.G. pour les polices intéressées à capturer les terroristes du Front de libération du Québec. Léo n'en revient pas, il entend des cris amicaux, des «Vive le fantôme du mont Royal!», des «Bravo au monstre du mont Royal!». Le sénateur est blanc comme un drap. Il a très peur. Il y a tant de fusils tout autour. Un geste fou, une balle perdue, le tir d'un limier affolé, ou bien une balle tirée par un *aficionado*, un délinquant, un milicien du colonel. Pis encore, un coup mortel tiré par lui qui est là, muet, démonté, mal assis derrière lui. Cette momie, immobile maintenant, qui tient une carabine chargée dans son dos. Il a besoin de parler. Ça sent la mort. Trop. Il y a ici une sinistre corrida. Une cérémonie funèbre et joyeuse à la fois.

– On peut plus rien faire. Impossible d'avancer.

L'inspecteur sort des bureaux de l'étage du poste, le directeur Dubreuil le suit, il tient un porte-voix. À quelques mètres de la Buick de DeSereau, il gueule.

— Écoutez-moi, Léo Longpré, inutile d'aller rue Drolet, mademoiselle Micone est ici dans nos bureaux. Elle vous attend.

Un silence s'est fait partout. Léo sent son cœur battre plus vite encore. Ment-il? La beauté, l'ange est-il vraiment là, si près de lui et qui l'attend?

Charles Asselin est nerveux, il veut que cette histoire finisse bien. Il devine le désarroi de cet homme défiguré qu'on a voulu charger de tous les crimes, qu'on accuse faussement selon lui.

— Longpré, vous allez sortir maintenant, abandonner votre otage et venir me retrouver. Je vous protégerai.

La portière s'est ouverte. Un nouveau silence, impressionnant, se fait aussitôt. Certains craignent le pire et tentent de se mettre à l'abri en s'éloignant.

— Ne craignez rien. Il ne vous arrivera rien, puisque nous avons besoin de vous Léo.

Asselin l'a nommé par son prénom. Il lui reste donc un peu d'humanité? Dubreuil cherche la vérité difficilement. On a voulu taire la mort du colonel, celle de Picard aussi, mais vainement. Des nouvelles coulent toujours. Le directeur n'est pas certain, lui, de la totale innocence de cet homme. Il pourrait bien être complice d'une partie des assassinats. Asselin est seul de son parti, il tente sans cesse de convaincre qu'il faut épargner l'homme laid, si on veut la moindre information sur ces jeunes miliciens entraînés par le colonel. Surtout sur la lancinante question: qui est la tête pensante, la tête dirigeante de ces tueries?

La foule, comme pétrifiée, observe le géant déguisé en homme invisible qui sort de la Buick avec sa carabine. L'inspecteur accourt aussitôt, va vers le sénateur.

— Votre femme est à l'Hôtel-Dieu et hors de danger. Tassez-vous, un de mes hommes va vous conduire immédiatement auprès d'elle.

Le sénateur ne bouge pas. Dubreuil le brasse et il tombe de côté.

— Vite des ambulanciers!

Dubreuil saisit Léo-la-momie par le bras.

— Vous, venez avec moi. Le temps presse.

— Est-ce vrai pour Maria?

— Oui, elle est dans mon bureau.

— Je veux la voir. Immédiatement, vous entendez, ici. Dehors. Immédiatement.

Asselin presse son revolver dans l'étui de cuir sous son bras gauche, Léo a le doigt sur la gâchette de la carabine qu'il tient sous son propre menton.

— Si vous m'avez menti, je tire, je me tue, allez la chercher.

Asselin retourne vers la station de la rue Saint-Dominique et parle à un officier sur le trottoir qui se jette à l'intérieur. L'inspecteur attend sur le trottoir. On a mis le sénateur sur une civière et on lui fait un massage cardiaque. Des brancardiers l'emportent, masque d'oxygène sur le visage, vers une ambulance qu'on n'a pas pu approcher à cause de la cohue. Sans cesse, des policiers et des soldats tentent de faire reculer les badauds, mais c'est difficile. Tout un monde qui a conscience d'assister au dénouement d'une aventure sensationnelle. Quelques audacieux déjouent les cordons de sécurité, s'approchent

167

de la Buick et font des photos. Certains ont des camé-scopes. Comment bien distinguer ces loustics des innom-brables reporters des radios et des télés? Impossible. Quelqu'un ouvre une radio, *ghetto blaster*, et une musi-que de rock envahit la place, casse le silence étouffant. Un policier se jette sur l'homme et son appareil impor-tun. On entend des rires de nervosité et des cris encore. Un: «À mort l'assassin!» Et un: «Mort au monstre!» En-core des: «Vive l'anarchie!», «Vive la révolution!»

Léo guette, impatient, l'apparition de la beauté, sa Maria! Il a peur et il a mal partout, il sent des crampes dans ses jambes, dans ses bras, dans son ventre, des élan-cements douloureux se font dans son crâne. Alors lui vient l'envie de retirer cet amas de bandelettes. Il veut que Maria reconnaisse le défiguré du bout de l'avenue McCulloch. Il le fait. D'une seule main, l'autre bien agrippée à sa cara-bine. Immense murmure dans la foule, hâte et frayeur, suspense visuel pour les badauds.

La voix de l'inspecteur Asselin éclate soudain dans son haut-parleur.

– Longpré, la voici! Elle est là! Vous pouvez la voir?

Au milieu d'une grappe de policiers, Léo aperçoit, en effet, la beauté. Cette jeune femme qui n'a pas gri-macé en le voyant. Elle est allée aux funérailles de Stephen tôt ce matin et est vêtue de noir. Elle est sombre et pour-tant lumineuse. Cette fille hors du commun qui a refusé de porter plainte contre cet agresseur qui l'a poussée en bas d'un ravin. Léo achève de retirer ses pansements. Des gens ont crié, se penchent, pliés par l'horreur, pour pas voir l'immontrable. Certains se sauvent. C'est si abo-minable d'être si laid. Certains restent courbés. D'autres dévisagent avec audace cet homme au faciès de marbre sanglant. On en voit qui tentent même de se rapprocher pour mieux voir ce front en creux, ce contour d'os anormal, ces yeux exorbités, cette absence de nez, cette bouche creusée aux minces lèvres violettes. Des éclairs jaillissent maintenant de cent appareils photo, les caméras ronronnent sur la hideur totale.

– Maintenant, venez en dedans, Longpré. Nous allons négocier.

La foule regarde cet homme armé, qui marche très lentement vers Asselin, vers le bâtiment où on vient de faire rentrer précipitamment l'amour de sa vie, l'objet de ses songes, son idéal féminin, le rêve impossible de sa chienne d'existence. Il y va comme on va vers ce soleil qui se montre après l'orage. Il y va comme un enfant perdu, abandonné, va vers sa mère enfin retrouvée. Son salut. Son mince espoir. Filet étroit d'espérance qu'il a osé installer. Il y marche. Un cri fuse de nouveau et Léo entend: «Ton père est icitte avec nous autres!» Léo a stoppé, il se retourne, la foule se tait complètement. Est-ce un mensonge? Il regarde du mieux qu'il peut tous ces visages, cette assemblée, mélange de reporters et de curieux, cette masse de visages aux yeux agrandis pour mieux l'examiner. Il ne voit pas ce père humilié. Il sait bien que cette grosse boule de vies humaines est un leurre, il sent que c'est un imposteur, il devine que pour un mot, un geste, cette marée humaine pourrait se muer en une arme mortelle. Il sait que l'admiration et la haine sont jumelles. Il ne voit pas ce père perdu. Et il se détourne de peur.

Dans le grand bureau, plein d'un désordre organisé comme les aime Asselin, Léo se colle contre la porte qui vient de se refermer.

– Écoutez-moi bien, Longpré. Demain, j'insiste, c'est le 20 juin. C'est cette réunion extraordinaire du gouvernement au chalet du mont Royal et il ne nous reste que vous. On craint un attentat, l'hécatombe. On a reçu des messages anonymes, contradictoires mais inquiétants. Vous allez me dire qui étaient ces militaires haut gradés dont votre ami Bédard disait avoir la protection.

– Je n'en sais rien. Je veux parler à Maria.

– Dépêchez-vous. Essayez de vous souvenir. Bédard a dû glisser un nom. Un seul, le temps presse Léo.

Léo n'écoute pas vraiment. Il voit une porte au fond du bureau du limier. Est-elle là? Derrière cette porte y a-t-il son salut, son unique chance, le seul fil qui le rattache à la vie?

– Où est-elle? Où est Maria?

– Écoutez-moi! Aussitôt terminé avec moi, vous la rencontrez et vous partez avec elle. Le médecin dont je vous ai parlé vous attend tous les deux à l'hôpital de l'avenue des Pins. Vous retrouverez peut-être le visage de votre jeunesse, Léo.

– Bon. Bon.

Alors Léo se calme, il s'assoit du bout du fessier. Asselin a ouvert un appareil d'enregistrement sur son bureau. Dubreuil vient d'entrer.

– Dépêchez-vous Longpré. Essayez de vous souvenir. Un nom. Un seul au moins.

– Eddy! Je crois que c'est Eddy! C'est tout ce que je sais. Bédard disait parfois: «Mon ami Eddy.»

11

Oh le beau matin! Le jour, c'est beau, parfois, une ville.
Le mont Royal sort des ténèbres dans cette fin de juin
avec de belles couleurs aux verts variés. Colline laineuse,
grosse laitue frisée au milieu de Montréal. Léo se retient
d'être heureux dans sa chambre d'hôpital de l'avenue des
Pins. Il a toujours été anxieux de nature. Depuis qu'il est
petit garçon, il est habité sans cesse par une sorte
d'anxiété, encombrante à certains moments de sa vie.
Depuis, il y a eu Maria. Il y a eu l'imprévisible merveilleux,
le mystère-Maria; il vient de vivre quelques heures
d'un bonheur qu'il n'osait plus espérer, jamais. Il y a eu,
hier, la rencontre avec le célèbre chirurgien de l'hôpital.
Léo a vu tout de suite comme une ombre sur le visage du
docteur Grandbois alors qu'il l'examinait. Il a fait faire
des photos, des radios. L'illustre spécialiste restait jon-
gleur. Alors, en fin d'après-midi, Léo lui a demandé, carrément.

– Je préfère savoir: c'est impossible n'est-ce pas?
Ça ne se répare pas?

171

Grandbois n'a pas répondu immédiatement. Certes, il allait essayer «la réparation», c'était son métier; mieux, sa vocation. Certes, il allait tout tenter. Il allait consulter même ses anciens mentors, là-bas, en Suisse, mais aussi quelques sommités en Californie et à Johns-Hopkins à Baltimore. Enfin, il se décida à parler.

– Écoutez-moi bien Longpré, c'est vraiment pire que je croyais. Il reste une chose, les opérations vont se faire et que ce soit un succès ou un échec, sachez que je vais me dévouer à votre cas comme jamais je l'ai fait jusqu'ici.

Ils ont parlé longuement. Maria ne comprenait pas tout. Léo a raconté le temps de la prison et, en cellule, cette fringale d'apprendre qui l'avait envahi, sa passion pour la biologie et ses études poussées et, après sa sortie, les certificats obtenus. Le docteur Grandbois l'en félicita et fit voir le peu qu'il savait sur les recherches du domaine de Léo, les protéines amaigrissantes.

Maria, qui confondait, un peu comme nous tous, molécules, cellules, gènes, chromosomes, écoutait les deux hommes discuter des fonctions de certaines substances qui donnent des commandements au cerveau: «Couper l'appétit!», «Dissolver les graisses!» Elle se mit à rire pour dire naïvement:

– C'est la guerre dans nos cerveaux? Il y a des ordres donnés? Des soldats au front? C'est ça?

Ces rires dans le bureau du jeune médecin. Par les fenêtres, cette lumière filtrée de fin d'après-midi, un vent très chaud qui pénétrait dans la pièce, tout cela rendait Léo léger, heureux pour une fois, après tant de jours pénibles. Il avait envie de se pincer. Rêvait-il? Il redevenait un être humain. Un homme confiant, médecin émérite, lui parlait de ceci et de cela, d'une certaine faune dans le métro de Paris, oui, des milliers de criquets qui y vivaient

172

et des Parisiens qui s'opposaient à ce qu'on les détruise. Il était ravi d'entendre quelqu'un lui parler comme à un ami, à un égal. Lui parler à propos de son bunker incendié, du tombeau de Néfertiti qu'on veut ouvrir au public pour ramener le tourisme apeuré par les attentats des intégristes musulmans. Oui, il était redevenu un homme libre; finie la bête traquée.

– L'État aurait dû prendre les grands moyens pour sauver votre repaire souterrain. C'était un héritage fabuleux pour le tourisme de l'avenir tel ce tombeau de Néfertiti.

Des rires enfin, si différents des rires retenus, constipés, toujours rationnés du temps des mousquetaires nocturnes au caveau abandonné sous le cimetière désaffecté.

La nuit avait été une première bonne depuis longtemps et quand le matin s'amena, ce fut le départ de Léo vers la première intervention, délicate, sur son visage d'horreur. Il venait de rêver qu'il partait en voyage avec sa Maria, qu'il avait retrouvé un visage d'Adonis, bien plus beau que son ancien visage de jeune chercheur, boursier parti à Budapest pour étudier la lectine amaigrissante.

Pendant que Léo faisait son beau songe, le zoophile André Dastous faisait un cauchemar, lui. Exactement au même moment. Interrogé par les policiers, il était revenu chez maman. Il avait voulu, après les arrestations de la ruelle Saint-Christophe, se présenter à la police pour parler librement, révéler tout ce qu'il savait. Le nom d'Eddy revenait. Dès sa libération, maman avait pleuré de joie. La nuit venue, routine, vieille habitude de marcher sous la lune, insomnie habituelle aussi, André Dastous décidait d'aller se promener sur la montagne, hélas! sans ses chers animaux puisqu'il était désormais chômeur. Il n'est pas allé loin: avenue Woodbury, un milicien du colonel l'abordait, c'était Cadotte. Cadotte le noiraud, le boutonneux, le bègue aussi.

— Tu es bien André Dastous, on est de l'armée d'occupation.

— Oui. C'est moi. Je suis allé à la police pour tout raconter. On m'a libéré, entrez et allez demander à ma mère. Je veux plus avoir à me cacher, je suis innocent.

— Mais oui. On dit toujours ça.

Cadotte lui saisit un avant-bras et le mena rapidement vers une longue familiale rouge vin, flambant neuve. Une portière s'est ouverte. C'était fini. Ça suffisait. Dastous avait compris. Il reconnaissait les élèves du colonel. Il était mal pris. Il y avait Benoît Bouchard et Abel Beauchemin dans la voiture et ils avaient l'air sinistre.

— Il a tout raconté à la police, qu'il dit.

Cadotte alla vite se mettre au volant.

— Tu as dit tout? Vraiment tout?

André ne répondit pas. C'était à eux qu'en mai dernier il avait offert un affreux contrat: tuer un juge, le juge Brault. Il avait connu ces miliciens à la caserne du 4185 Côte-des-Neiges, il y apportait parfois des victuailles, des boissons diverses, jouant le zélé commissionnaire de Gilles Bédard.

— Tu n'as pas payé tous tes comptes encore, Dastous.

C'était vrai, les tueurs, les crucifieurs du juge lui avaient pourtant dit n'être pas pressés. Dastous leur devait encore cinq mille dollars, il l'admettait volontiers.

174

– Donnez-moi deux jours, je parlerai à ma mère.

– Non! On n'a pas le temps d'attendre. Trop tard!

L'auto, à l'accéléré, tourna dans l'avenue du Parc après avoir roulé dans la Côte-Sainte-Catherine vers l'est. Cadotte rugit, grimaça, rit, il était un peu ivre. Il buvait toujours pas mal avant de verser le sang. Beauchemin et Bouchard rivalisaient de cris et de grognements bestiaux. Un trio de dangereux échappés d'asile soudainement.

– Tu craches vite l'argent ou tu crèves. Comme ton juge.

Jadis, c'était sa hantise, ce juge. C'était lui, Brault, qui avait condamné Dastous à vingt ans de prison à l'époque où il avait défenestré son ami de cœur qui l'avait quitté, un certain Langis. Dastous avait purgé le tiers, sept ans, il avait eu une si bonne conduite. Dastous, l'enfant gâté, le bon petit garçon, le fils à maman, s'illusionnait. Il pleurait et bafouillait.

– Ramenez-moi avenue Woodbury, maman va vous donner l'argent.

C'était impossible évidemment, le triumvirat avait des ordres. Il avait un nouveau contrat: débarrasser la planète de ce mousquetaire nocturne et c'était urgent. Eddy avait été clair. «Il m'a déjà vu avec Bédard, deux ou trois fois, avait-il dit. Tuez-le vite.»

Personne ne voit ces ombres dans la nuit sortant un palan de leur coffre d'auto.

On peut imaginer la surprise, l'étonnement total de la police quand ils ont découvert Dastous palanqué, fléau moribond, entre les bras de l'ange de bronze au pied du mont Royal. Pendule macabre. Le cadavre de Dastous

175

avait les deux jambes coupées, lui le prodigieux marcheur des cimetières de la montagne. Une pancarte: «Mort au traître», son sang tachait en rouge le crâne de bronze de Cartier. La police eut du mal à le décrocher de là. Une note dans une enveloppe: il était dit que Dastous était le commanditaire de la crucifixion du magistrat qui l'avait condamné. Avec ce nouveau cadavre, Dubreuil découvrait que, Longpré arrêté, ce n'était pas la fin du carnage. Il avait admis enfin à Asselin qu'il devait y avoir quelqu'un au-dessus de ce colonel-concierge et de ses miliciens fanatiques. Plusieurs personnes peut-être. Mais qui? Avec Asselin et l'aide de certains militaires, le directeur Dubreuil vérifiait les dossiers des gradés de l'armée. Il n'y avait pas d'Eddy. Il y avait un Edmond, un Esdras, un Edgar, deux Charles-Édouard, trois Édouard, l'un vivait en Nouvelle-Écosse, un autre dans le Manitoba. Le troisième, Charles-Édouard Proulx? Au Sanctuaire, à Montréal. Un général.

Avec des réticences, on avait insisté, on avait répondu sèchement qu'il s'agissait d'un soldat parfait, sans aucune faille, un héros de la guerre de Corée, un modèle, et que, bien plus, il avait été chargé, côté militaire, de la sécurité pour la réunion du gouvernement ce jour même au chalet du mont Royal. Dubreuil s'était excusé. Asselin était perplexe.

Quand les autorités ont accueilli à la morgue le pendu d'entre les bras de l'ange géant, ex-gardien de labos de l'université, compagnon de cartes de la soute de Léo Longpré, il y eut un lot d'interrogations. On vérifiait tout. C'était vrai. Dastous, homosexuel détraqué, avait bien été condamné par Brault il y avait de cela près de huit ans. Une exécution spectaculaire, se rapprochant de celles faites par un Glass et un Picard. Même cruauté, même dépeçage charnel. On allait gratter, et férocement, du côté des skins convertis. Quelques-uns étaient encore dans des cellules à Parthenais, ils étaient mutiques, cadenassés, bien entendu, mais le directeur Dubreuil venait de donner, oralement, une directive décodable: «Qu'on prenne vite tous les moyens pour creuser les confessions.» En haut c'était ambigu, en bas c'était traduit adéquatement: «Battez, torturez si nécessaire.»

* * *

La nervosité est grande ce matin. Partout. C'est avec flegme et assurance que le général Eddy Proulx joue son rôle d'ordonnateur expérimenté. Quelle ironie! Il a pourtant les traits tirés et il y a de quoi. Il a travaillé toute la nuit. Tout au début de la nuit, ses tueurs se sont exercé les muscles avec l'ascension de Dastous au faîte du monument, mais il restait beaucoup à faire cette même nuit. Installer toute cette dynamite aux quatre coins du grand chalet au sommet du mont Royal. Eddy a enrôlé quelques adjudants, des âmes damnées, aveuglément à son service. Beauchemin, Bouchard et Cadotte ont, pour ce genre de sabotage, pas mal d'expérience. Tout allait vite sauter et très fort dès que les douze principaux ministres du pays allaient s'attabler pour entamer la grande réunion du grand plan de réforme pour calmer la population extrêmement sceptique, devenue cynique, depuis toutes ces semaines d'écœurants carnages.

Avenue des Pins, ce matin, le docteur Grandbois commence à rénover le visage de Léo. Quelle comédie plus haut, voie Camilien-Houde. Quelle farce grotesque dans cette belle lumière du matin de ce 20 juin, dans ce décor naturaliste, sous ce chaud soleil estival! Quelques hauts fonctionnaires avec leurs serviles estafettes admirent béatement le dévoué général Proulx qui court à gauche et à droite, donne des ordres se coordonnant volontiers avec des policiers importants. Il y a la meute habituelle dans ce genre de préparations: livreurs de tables, de chaises, de nappes, gens des buffets, fleuristes, accessoiristes, drapistes, spécialistes de l'éclairage, du son, microphones, magnétophones. Habituelle troupe jouant, c'est classique, les importants. Encombrants bureaucrates dévoués, aux fronts plissés pour se donner de l'importance, fonctionnaires inutiles vérifiant en vain des installations anodines. Bientôt, s'amènerait là-haut la cohorte du monde des informations. Il manquait Potvin. Pourquoi donc l'absence de Denis Potvin, ce gardien de Parthenais, qui avait laissé sortir Bédard et Picard? Cadotte l'avait engueulé quand Potvin lui avait annoncé qu'il ne voulait plus continuer avec eux, ni pour pendre Dastous ni pour dynamiter le chalet.

— Quand le grand jour viendra, tu seras mis de côté, rayé, annulé!

Potvin s'en fichait. Il savait pourquoi il refusait de jouer les saboteurs du pouvoir. Il avait prétexté une mère subitement tombée gravement malade. Lui aussi était orphelin de père comme plusieurs des servites du colonel. En ce moment même, Potvin était reçu au bureau central du parti de l'Alliance nouvelle. Ainsi, les hommes du président Dupire ont appris l'effrayant complot de mort qui se tramait. Ils laisseraient faire car c'était providentiel, puisque les élections allaient avoir lieu dans une cinquantaine de jours. Alors? Rien de mieux que cette explosion du pouvoir politique en place, l'éradication totale de ce «cabinet de pleutres», selon l'expression unanime des animateurs de radio populaire. Des «impuissants qui n'ont pas su stopper la série de massacres».

L'ex-punk, le jeune milicien Denis Potvin, joue sa grosse carte: il se voit, au lieu des Cadotte, Bouchard ou Beauchemin, l'indispensable chaînon, le grand bras policier du nouveau parti au pouvoir. Un sbire de l'Alliance nouvelle le lui fait miroiter.

— Tu seras directeur de la Sécurité nationale, un jour.

Denis Potvin trahit donc ses frères miliciens et il croit récolter le pactole. Il est de ces innocents aux ambitions démesurées. Potvin est un de ces jeunes suiveurs sans jugement et sans instinct. Il s'aveugle. Le vice-président du parti lui dit:

– Aussitôt après l'explosion, on va te conduire aux policiers de la rue Saint-Dominique. Tu racontes tout ce que tu sais. Eddy Proulx et son gang de *crackpots* seront emprisonnés. Nous entrerons dans le jeu et tu seras avec nous.

Cynique, Eddy Proulx joue celui qui veille à la protection. L'heure H se rapproche rapidement. Bientôt, il n'y aura plus de gouvernement. Avec des brassards bleus, acolytes satanisés, on voit déambuler Bouchard, Cadotte et Beauchemin parmi des officiels et des moins officiels. Près de la balustrade de pierre, dehors, une grande tente jaune abrite ces dames et messieurs des médias. Il y a un long comptoir avec des serveurs où l'on pourra manger et boire en attendant la fin de cette réunion historique des douze ministres.

Eddy joue Judas. Le démon observe Montréal à ses pieds. À l'intérieur, sous la belle toiture du grand chalet de pierre, on peut voir au centre de la salle l'immense ovale de chêne vernis où vont s'installer les ministres. Tout autour les fauteuils. Des tables d'appoint pour les sous-ministres. Il est presque midi et personne ne peut savoir qu'à quinze heures et vingt minutes précisément, vingt minutes après l'ouverture du caucus, il n'y aura plus rien! Plus de chalet! Plus personne de vivant. Plus de toiture ornementale. Plus de gouvernement. Au soleil, nerveux, Eddy, lui, le sait. Il a déjà préparé un communiqué, un putsch est un putsch, il a préparé son appel aux dirigeants de l'Alliance nouvelle. Proulx a tant souhaité un ordre nouveau, il a tant désiré que finisse ce qu'il nomme les trois D: la dérive, la dégénérescence et la décadence.

La dérive de la démocratie, la dégénérescence des élus poltrons, enfin la décadence du parti au pouvoir entraînant celle des citoyens abusés. Il se sent le grand épurateur.

L'heure du grand changement allait enfin sonner. Il a pu voir le brouillon du prochain programme de l'A.N. et en est très satisfait. On peut le voir maintenant prendre une pause, tenter de se calmer. Il doit cacher sa hâte, sa jubilation. Il commande, à une fille mal maquillée, un grand jus d'orange. Eddy ne boit pas d'alcool et ne fume pas. Il n'a jamais fréquenté un casino, il ne drague aucune fille, même la plus accorte, la plus aguichante des secrétaires de son 3530 Atwater. Proulx vient de loin. C'est le grand-père qui l'a élevé, Émile, un joyeux drille, directeur d'une chaîne de salles de cinéma. Veuf, Émile habitait chez son fils, Paul, le papa d'Eddy. Paul Proulx était, lui aussi, militaire de carrière, un homme froid, toujours absent, distant, mal marié à une femme perpétuellement dépressive. La mère d'Eddy, en effet, était un personnage de musée de cire, pas un signe d'affection, jamais une caresse, ni un seul mot gentil pour ce garçon abandonné au milieu de deux sœurs, une aînée, taciturne comme ses parents, et la benjamine fugueuse, hypocrite, dévergondée à quinze ans déjà. Eddy dépendait de ce père substitut, le grand-père Émile Proulx, qui s'en débarrassait en lui obtenant sans cesse des laissez-passer pour les salles de cinéma. Eddy, comme pour retrouver ce papa invisible, entrait tout jeune dans les forces armées. Il avait tout fait pour y être bien noté. Il fallait que papa-le-sévère soit fier de lui. «En ce moment, papa mort me voit d'en haut, pense-t-il, il est content de voir son fils unique préparer fébrilement l'accouchement d'un monde meilleur dans ce pays.»

Et lui, Gilles Bédard, voit-il aussi tout cela d'en haut? Est-il au paradis? S'intéresse-t-il à Eddy, son grand protecteur? A-t-il oublié cette colère jamais assouvie depuis le meurtre de sa Germaine? Est-il avec elle au paradis promis à tous les croyants? Germaine avale-t-elle, au ciel, de son cher *cream soda* dont elle raffolait. Le couple, de nouveau réuni, peut-il enfin savoir où est disparu l'aîné Albert? Albert le débrouillard, le mécano de génie, le voyou déluré? Gilles et Germaine savent-ils enfin comment vit leur Murielle, partie si jeune avec un amant fou furieux, libanais engagé dans un commerce confus, jamais explicité face aux parents inquiets de voir s'exiler leur fille. Enfin, Gilles Bédard va-t-il pouvoir veiller sur Ronald et Janine, les cadets de leur tribu? Ronald le déficient léger qui fait traverser en ce moment les enfants de Rosemont qui vont luncher à la maison. Et Janine? L'instable Janine, serveuse enjouée d'un restaurant à l'autre. Elle est, en ce moment, dans la vieille ville de Québec. Elle fait vivre un fainéant, archétype bien connu, artiste-peintre, génie méconnu, bien sûr. Pendant ce temps, le docteur Grandbois travaille toujours à la résurrection de Léo Longpré.

Il est midi, le président de l'Alliance nouvelle s'en va bouffer chez Lévesque, rue Laurier. Il a de l'appétit face à la catastrophe? Oui, il en est stimulé. Il avait cru devoir attendre des années et voilà que l'histoire s'accélérait prodigieusement. Il sait par Potvin-le-délateur que dans trois heures il n'y aura plus aucun pouvoir organisé dans ce pays. Le gouvernement ne sera ni dissous ni «débarqué», mais explosé. Son état-major l'accompagne. Son directeur, Alain Boileau, lui lit des télégrammes d'encouragement depuis qu'un sondage, avant-hier, a mis l'A.N. au sommet de l'affection et de la confiance populaire. Il exulte. Enfin, il va pouvoir appliquer son programme aux réformes salvatrices.

– Regardez, patron, des félicitations des États-Unis. Ça vient de Lindon Larouche. De France, on a reçu les bons souhaits du Front national.

Dupire en est hilare, secoué de tics nerveux incontrôlables. Un autre adjoint, Boyer, le secoue.

181

— *Boss*, qu'est-ce qu'il vous faut de plus? L'*Executive Intelligence Review*, regardez, la *Christian Defense League,* tous vous font leurs meilleurs vœux. Tenez, un télégramme est arrivé ce matin, de *Diffusion de la Pensée Française* et j'ai, au bureau, des messages de Charles Scott de Vancouver, d'Ernest Zundel de Toronto. Aussi de Robert O'Driscoll. Tous vous crient des «bravos», patron! Votre heure est arrivée.

Dupire regarde la rue Laurier par la vitrine. Deux gamins se tiraillent pour un ballon de soccer, un vieillard s'avance avec une canne et on dirait qu'il va s'écraser à chaque pas tant il a du mal à se mouvoir, il est tout emboucané par un long cigare au bout rougi. Dupire regarde ses acolytes et grommelle.

— On va manger en vitesse, il faut réécrire ma déclaration officielle. Cet après-midi même, tous les médias seront suspendus à mes lèvres, vous le savez.

À l'Hôtel-Dieu, photos de Léo jeune pas loin. Le docteur Grandbois s'ingénie toujours à ce qu'il nomme «la palingénésie» de Léo.

Le luisant soleil de juin est maintenant au zénith. Tout reluit. Tout est prêt pour la mort. On voit arriver les premières voitures gouvernementales. Des officiers de police font du zèle, éloignent certains journalistes envahissants, reporters grouillants, sans gêne aucune, le métier l'exige. Tous ces gens de presse ignorent que la liberté s'achève, qu'elle compte les minutes maintenant. Eddy Proulx, qui les observe avec mépris, regarde souvent sa montre, ancien cadeau offert par grand-papa Émile. Le premier ministre s'amène. Sa voiture est suivie par celles de ses principaux conseillers. Il a été décidé que le public serait tenu à l'écart. Pas un seul badaud pour observer l'assassinat de la démocratie! Pas un seul citoyen n'a eu le droit de grimper jusqu'ici. Pas un

Montréalais ne pourra voir le sinistre feu d'artifice. Le directeur Dubreuil surveille ses hommes, il est nerveux. Comme toujours, il a reçu des lettres anonymes, habituelles menaces, comme d'habitude, l'apocalypse. Dans le lot, la litanie inévitable des: «On va tuer le cochon!», «Ça va être la fin du chef des lâches», «Je suis armé et le fou de nos sociaux-démocrates est un homme mort», «Assez du vendu!». Ne sait-on jamais, songe le directeur, il est si facile désormais de prétendre être journaliste. Si facile de déjouer la police, il le sait bien. Ce qu'il ne sait pas, c'est que le général Charles-Édouard Proulx, qui lui sourit, se sent proche du moment où papa, mort, qui était toujours absent, si difficile à rejoindre, papa si sévère, si déçu lui aussi par l'état des sociétés modernes, sera comblé bientôt. Il est deux heures et demie de l'après-midi, de cet après-midi fatidique. On dirait que le ciel le devine, des tas de nuages voyagent à toute vitesse au-dessus de la montagne et commencent à voiler la lumière solaire.

Un vent du sud souffle de plus en plus fort soudainement et c'est la montagne qui semble bouger. Tout le monde est arrivé. Le drame peut être joué. La mort peut entrer en scène. À Paris comme à Londres, la nuit s'est achevée et partout, le ciel voit surgir dans les rues de ces capitales, les foules bigarrées des travailleurs des bureaux, des usines et des manufactures. C'est la nuit, cet après-midi, de l'autre côté de la planète bleue, des milliards d'Asiatiques qui dorment, qui rêvent. Le labeur quotidien s'oublie quelques heures. La terre tourne, indifférente quoi! Les villes des cinq continents de la terre ont leurs drames, leurs tragédies. Des hommes, des femmes, des enfants partout vivent des bonheurs, des chagrins, des grands moments d'allégresse, de cruelles déceptions aussi. À Montréal, en Amérique, il va y avoir tout à l'heure une surprise épouvantable. Tout un gouvernement décapité. En quelques instants. Eddy Proulx, ses complices, le savent. Ainsi, le gros général, le fidèle Canning, le sait lui aussi, il attend, il a hâte, il tient le bureau au 3530 Sherbrooke. Quelques fous, jeunes vétérans du punkisme, le savent, les Bouchard, Beauchemin, Cadotte. Il manque Ryan; le lâcheur est aussi un fidèle de Proulx, mais il a craint un échec. Le général Ryan a donc accepté d'être envoyé vite dans un petit pays africain où les Casques bleus jouent aux gendarmes pacifistes. Il reste Lortie? Le cardiaque. Le fragile. Oui, et il est le Denis Potvin du quarteron des militaires conspirateurs. Comme Potvin, il est ambitieux et malin. Son besoin de n'être jamais inféodé à qui que ce soit l'a conduit à trahir carrément son collègue Proulx. Lui aussi se croit en route pour la gloire. Il a fui, cœur en danger, l'hécatombe. Il est allé attendre chez sa vieille marraine, dans une auberge de Magog. Après l'explosion, il sortira de l'ombre pour dénoncer la folie du général désaxé. À lui, alors, les honneurs.

Tout le monde rêve sur terre, Léo Longpré aussi. Il va subir bientôt une autre séance sous le bistouri du docteur Grandbois. À l'heure du lunch, à la cantine de l'hôpital, Maria, anxieuse au paroxysme, qui veille et qui prie, a questionné le médecin pour savoir si ça allait bien.

– Mieux que je croyais. Beaucoup mieux. Je peux vous assurer que ça va être mon plus éclatant succès depuis mon retour de Suisse.

Cette renaissance d'un visage, le plus laid jamais vu, sert son ambition, c'est sûr mais il y a davantage. Pour le jeune spécialiste, la réussite de cette véritable palin génésie, il le sait, donnera suite à une belle histoire d'amour: Léo et Maria. Il en est heureux d'avance. Ce sera comme un vieux conte de fées, vécu en fin du XXᵉ siècle. Oui, tout le monde est ambitieux. Bien sûr, l'histoire de ce sorti de prison brillant qui s'instruit comme un dément, qui se plonge quasiment jour et nuit dans ses recherches, qui accepte de rester, à trente ans passés, un éternel étudiant, patient chercheur, acceptant l'exil en Hongrie, un petit appartement minable dans le Vieux-Buda, s'associant à un autre chercheur, Malik. Oui, toute cette saga l'émeut et alors il veut, à tout prix, cette résurrection d'un visage hideux en une figure humaine agréable. Ce n'est pas l'ambition seulement qui conduit les hommes. Seul le cynique prétend cela.

Mais Ryan et ce milicien Potvin, eux, sont deux fameux ambitieux, diaboliques. Comme dans la Bible, c'est le mal qui trahit le mal. Ce sont les ténèbres eschatologiques. Fin du monde pour plusieurs. Il va y avoir trente morts dans quelques minutes, ils le savent. Ils ne font rien pour empêcher cela. Partout, l'ambition nourrit une guerre constante en ce monde. Un gouvernement va mourir et il n'y aura pas de docteur Grandbois pour le ressusciter. Opportunisme et ambition! L'Alliance nouvelle vient de convoquer un grand *meeting* populaire pour sept heures ce soir au centre Maurice-Richard. On dévoilera le programme du parti puisque des élections avaient été prévues dans sept ou huit semaines. Horreur démagogique, calcul sordide. L'ange mauvais, pierre noire à l'ouvrage sur les cœurs, la partie sombre des humains, dur rocher, récif belzébuthien. Le conseiller de mort. Thanatos triomphateur. Le chef Dupire a osé dire «oui» à cette idée de grande assemblée politique alors qu'il savait ce qui se tramait. Pas loin, en haut de la voie Camilien-Houde, c'est cela, l'*abyssus abyssum invocat*, quand la part des ténèbres éteint tout dans les cœurs. Exactement: cette boue!

Des oiseaux chantent, un vacarme éclate; des écureuils folâtrent dans tous ses sentiers et, soudain, tout se fige! La montagne vient de vibrer! Des cris de mort éclatent autour du chalet! En dedans, pas un son. Rien. L'ouvrage des dynamiteurs s'accomplit. Infernale perfection. Il n'y a plus de chalet! Juste un tas de débris en feu. Les gens des médias se taisent. Stupeur totale. On

185

entend le vent dans les branches des peupliers, des chênes, des érables tout autour. En bas du belvédère, des klaxons lointains. Il n'y a même pas de panique. Silence insolite. Il faut y penser. C'est vrai? Un gouvernement est mort subitement. Au complet.

Ensuite? Ensuite, tout va très vite. Le directeur Dubreuil, le soir même, est congédié, le nouveau directeur, Pit Brien, est un neveu du général Ryan nommé conseiller spécial à la sécurité. Népotisme bienvenu! Ce dernier est un cousin du futur premier ministre Jules Dupire. Quant à l'inspecteur Asselin, il a déchiré son contrat de retraité pigiste. Aussitôt que le général Lortie a parlé, on est allé au bureau de Canning, avenue Atwater, pour menotter Eddy Proulx. Denis Potvin? L'utile délateur, le vertueux renégat? Dès qu'il est allé chez Brien, pour déballer sa salade, on l'a mis sous arrêt. Lui aussi, avec les autres miliciens, sera expédié au pénitencier dans les heures qui viennent. L'Alliance nouvelle ne peut pas s'embarrasser de ces mercenaires clandestins plus ou moins repentants. À la trappe de l'histoire, les ambitieux de deuxième ordre! Ils ne le savent jamais assez ces candides arrivistes qui gravitent, qui tournoient, qui parasitent vainement, minables satellites des véritables suppôts du diable, imposteurs de première grandeur. À la trappe, ces faux innocents! C'est bien fait, bravo! Futur premier ministre Dupire, le terrain se dégage!

Comme cet aspirant premier ministre a su prendre des accents véridiques au soir de la tuerie au chalet du mont Royal! Entouré par ses partisans, ovationné par la foule moutonnière à Maurice-Richard, il a trouvé les mots pour fustiger tous ces affreux comploteurs, les traitant d'«ennemis des démocrates». Il a dit sans broncher, face aux caméras des médias attroupées: «C'est à vomir. Ils seront punis de mort. Ce sont des monstres.» Le directeur des élections a décrété, avec l'accord du parti mutilé, au cabinet émasculé, des élections prématurées. Il le

186

fallait bien, non? Les sociaux-démocrates, décimés, s'apprêtent à jouer la carte du martyr. Une population ébranlée, secouée dangereusement, exténuée par tant d'horreur, voudra se réfugier dans les bras des audacieux réformateurs. Déjà, on aime beaucoup les promesses du programme. Par exemple:

1. Un certificat de miséreux sera exigé pour obtenir toute assistance sociale. Les autres exécuteront des travaux communautaires.

2. La formule Rand d'adhésion syndicale automatique est abolie.

3. À la première incartade, toute personne émigrante sera déportée immédiatement dans son pays d'origine.

4. Tout citoyen devra adopter obligatoirement une confession religieuse à son gré, les Églises étant le ciment moral d'une société.

5. Les infirmes, handicapés de toutes sortes, devront s'instruire d'un métier, quel qu'il soit.

De cette même eau, il y a des dizaines de promesses. En tête du programme, le slogan s'imprime: *Pour un avenir meilleur: une alliance vraiment nouvelle!* On souhaite la liesse un peu partout. N'allait-on pas avoir enfin un gouvernement qui gouverne? disait-on à la brasserie, chez le coiffeur comme au supermarché.

* * *

Avec le Rosaire Lalonde des bonnes sœurs, «l'apiculteur» reste donc seul survivant des mousquetaires nocturnes. Il subit, endure, toute la série des délicates interventions du docteur Grandbois. Puis il y a l'indispensable convalescence. Vaste plaie qui doit cicatriser.

Quelques jours avant l'élection du parti de Dupire, le grand jour est arrivé. On peut lui retirer les derniers pansements. On va lui offrir un miroir pour la première fois. Léo prie tous les dieux, touche tout ce qui est de bois. Il y aura déception, ou satisfaction et joie! Maria qui n'a plus qu'une simple canne pour se mouvoir, a été invitée. Elle le mérite tant. À l'Hôtel-Dieu, une petite salle est remplie par les parents de Maria et ceux de Léo. L'attente semble interminable. Si le suspense se dénoue bien, le couple a un projet: partir pour la France, pays que Maria avait quitté à dix ans. Là-bas, en banlieue de Nice, on avait prévenu la tribu des Micone: des amoureux pourraient surgir en un voyage de noces mérité.

Arrivant au bureau du docteur Grandbois, Maria a une sorte de faiblesse et la tête lui tourne, elle tombe sur une chaise.

– Ce n'est rien. C'est la hâte. La peur aussi.

Un directeur, son adjoint ainsi que des infirmières, tout le monde veut la rassurer. Les bons conseils pleuvent.

– Soyez forte. Tout devrait bien aller. Ayez confiance. Pour lui, paraissez forte. On ne sait pas le résultat final, mais les premières petites opérations réussies sont garantes de la grande qu'il vient de subir. Restez calme, Maria!

C'est un soir doux du mois de juillet. Une soirée d'une merveilleuse beauté quand l'air redevient frais, le soleil aussitôt couché. Il y a une brise rafraîchissante qui entre par les fenêtres, la lumière du crépuscule semble un voile de gaze soyeux, filtre bleu qui colore les murs gris de la chambre d'hôpital. En bas, dans la salle, il y a cinq personnes haletantes quand s'amènent le fameux chirurgien, des aides et Maria. Alain Grandbois décroche un des appareils téléphoniques, y donne un ordre bref et, la minute suivante, en fauteuil roulant apparaît celui qu'on surnommait «le monstre».

– Marie, tenez ce miroir, vous le verrez, la première. Tout de suite après, si vous le décidez, si vous voulez, vous lui tendez le miroir. Ça vous va?

– Oui, dit une Maria excitée, tendue, espérante.

– Tu es d'accord, Léo?

Il ressemble à la momie du mois dernier qui menaçait le sénateur DeSereau. Léo ne répond pas. Il sourit sous les pansements. Il se fiche de tout. De rester laid s'il le faut, puisque Maria l'avait aimé avec son horrible visage, au temps des fleurs cueillies dans le sentier forestier en haut de l'avenue McCulloch. Il se décide à parler. Sa voix est déformée par sa bouche pansée.

– D'accord Maria. D'accord avec toi, Maria, pour tout.

Le docteur Grandbois, avec des gestes de prestidigitateur se penche au-dessus de son patient. Il a mis des gants de caoutchouc, lève les bras au-dessus de cet homme qui faisait fuir tout le monde, qui vivait terré dans une fosse.

12

Léo passe beaucoup de temps devant des miroirs. Il n'en revient pas. Il est comme l'adolescent qui examine chaque trait de son visage, questionnant qui il devient, sa vie; il a un avenir. Léo a retrouvé un visage oublié, celui qu'il avait, il y a plusieurs années, quand il était ce jeune étudiant, puis ce chercheur, celui-là que le docteur Grandbois a pu ramener à la vie. Ce dernier a été un sculpteur, un peintre capable d'être fidèle au modèle imposé. Léo se touche le front, les joues, le nez, le menton. Il est certainement redevenu ce qu'il était et pourtant il est un autre; ces quelques années d'horreur lui ont semblé durer une éternité. Il n'y aura plus le désespoir. L'envie de se tuer, si fréquemment, mais aussi finie la perte de tout espoir d'une vie normale. Un litre d'acides l'avait jeté hors de l'humanité. Il ne pouvait plus sortir dans la rue. Sa mère elle-même grimaçait, il l'avait vue. Il n'était plus qu'un monstre et maintenant il est beau, puisqu'il avait été beau. C'est merveilleux, il a de l'avenir de nouveau! Il est sauvé et il sait bien par qui, par cette

191

jeune femme qui est là, à ses côtés, vêtue de noir encore, qui le regarde se regarder, qui, sans cesse, lui sourit. Cette femme miracle, penchée sur des fleurs communes, qui lui avait souri et qui n'avait pas fui avec terreur, il y a longtemps de cela, il lui semble. Oui, une éternité, quand pourtant ce prodige ne date que de deux mois à peine. Léo Longpré doit s'habituer à la normalité. S'habituer même à ne plus être dévisagé par les badauds cruels d'après son accident. Il en est troublé. Il n'y croyait plus, il ne croyait plus à rien, surtout pas à l'amour humain. Sans cesse il se presse contre Maria, il la suit partout, qui installe les verres dans les armoires, les ustensiles neufs dans des tiroirs. Il l'écoute parler. Il aime son simple langage, ses mots ordinaires, sa façon claire de raconter sa vie passée, de parler franchement de leur avenir, de leurs projets. Maria Micone est un être limpide. Elle sera sa source désormais, c'est à elle qu'il ira sans cesse, pour toujours, dans les bons ou les pires moments de son existence nouvelle. Il a comme une deuxième chance et il veut en profiter. Dans la joie. C'est vraiment l'amour, il n'y croyait plus, plus du tout. Un miracle!

Le couple s'installe, ici, avenue Rielle, dès la sortie d'hôpital de Léo, puisque cette petite maison appartient à Maria. Elle l'a payée à force de ménages dans ces maisons luxueuses, dont celle du sénateur DeSereau. L'Université de Montréal, avec générosité, a offert un contrat de recherches nouvelles au ressuscité, à l'ex-fantôme du mont Royal. Comme son histoire a fait le tour du monde, à Budapest aussi, on le demande. Son tortionnaire jaloux, le scientifique Malik, a été libéré lui aussi des noirceurs d'une prison hongroise et, culpabilisé, a réclamé aussitôt la collaboration de Longpré. Le nouvel élu, Jules Dupire, s'est empressé d'accorder une subvention bien équipée au «fantôme du cimetière» du boulevard du Mont-Royal. Vite s'en débarrasser? Éloigner cet encombrant héros populaire le plus tôt possible. Léo a accepté.

L'amour est d'accord, Maria le veut aussi. Elle a besoin de vivre plus discrètement sa grande histoire d'amour. Ils iront. Ce sera un voyage de noces fabuleux, d'abord à Paris puis, vite, aller à Nice. Maria, arrivée à dix ans rue Drolet, à Montréal, y a encore ses grands-parents, des Italo-Français qui venaient se cacher dès 1939 à Tourette-sur-Loup, dans les hauts de Nice, à cause de ce grand-père socialiste actif, ce Carlo Micone anti-fasciste condamné et recherché par les Chemises noires du Duce Mussolini. Maria y reverra aussi Angela, une grand-mère vénérée avec qui, de Montréal, elle avait toujours correspondu fidèlement. Léo est heureux de voir sa hâte, son bonheur. Départ dans quatre jours.

Dès le premier jour d'union dans la maisonnette de Verdun, flotte une sorte de gêne, mais aussi de plaisir anticipé. Ce soir, songe Léo, une femme imprévue, providentielle, va se donner à lui, un homme qui sort tout juste d'un affreux tunnel. Ce soir, avenue Rielle, tout près du fleuve Saint-Laurent, il va donc y avoir une singulière union, il va y avoir l'amour très concret de la belle et la bête, bête échappée d'un cauchemar épouvantable. Cette nuit, dans l'obscurité, l'amour humain va triompher de tout une fois de plus.

Pendant deux jours, à Verdun, Léo a joué à l'homme de ménage. Tous les murs ont été repeints, du mobilier neuf a été mis en place dans la chambre, au salon et dans la salle à manger. Léo sait y faire, il a même changé les plafonniers. Il a installé des tableaux, des gravures au coût modeste, mais jolies. Il a verni quelques planchers. C'est beau, il rit, ça brille! Il a aussi installé des tapis. Il sait y faire cet homme qui s'installait confortablement dans son étrange repaire, sous le mausolée abandonné, à trois mètres sous terre. Léo est un mari parfait désormais, un homme à tout faire d'une compétence extraordinaire, d'une expérience amplement démontrée, visitée et admirée un bref laps de temps. Maria a voulu se débarrasser

193

du dernier décor de l'avenue Rielle, celui du temps de son malheureux bonhomme irlando-québécois mesquin, ce Stephen King fragile, jamais sûr de lui, inhabile à démontrer son amour, ce Stephen morose, jaloux, désespéré et qu'on a retrouvé se balançant à un arbre au parc Angrignon, au bout de Verdun, au bout de sa corde. Maria a acheté des bibelots neufs, des rideaux légers, de la vaisselle nouvelle, des tas de petites choses qui font le paysage quotidien d'un domicile modeste mais qu'on aime, que sa jeune sœur habitera durant leur séjour à l'étranger.

Voici venu le temps de l'amour. Ce soir. L'amour, pour la première fois avec ce grand fou qui siffle et qui rit enchanté de se retrouver comme il était avant ce funeste arrosage d'acides aux labos de l'université.

En dedans, c'est la nervosité, la hâte mal contenue. Dehors, c'est un vendredi normal. Il fait doux. La fin du mois se signale par mille petits signes, l'automne se rapproche. Il est déjà midi. Maria prépare des pâtes qu'ils iront dévorer, les amoureux ont bon appétit, sur la mini-terrasse derrière le logis. Partout ailleurs, la vie ordinaire continue. Ici, le nouveau chef politique Dupire ne cesse de plastronner, faisant mine d'ignorer sur quel abîme de cadavres, cadavres de Noirs, cadavres d'homosexuels, il a construit sa victoire. Les chefs de l'Alliance nouvelle font semblant de ne pas savoir que leur triomphe repose sur le désarroi qu'ils nourrissaient, sur le cynisme qu'ils stimulaient, aussi sur la déroute morale que les médias illustraient avec complaisance. Tous, gauche, droite, oppositionnistes, reporters, ils semaient la peur, le pessimisme. La haine aussi. Tous, dans les médias de toutes catégories, ne songeaient qu'à faire grossir leurs auditoires en agrandissant sans cesse certains effets inévitables de la liberté. Il y a des conséquences à enfourcher le «catastrophisme» et la «sinistrose». La liberté recule quand s'énervent les populations. Dupire a semé son puritanisme hypocrite, et ses sermons artificiellement moralisateurs ont su exciter la détresse des citoyens. Maintenant, un autre mal règne.

Nos libertés tournées en licence depuis tant d'années, parfois englouties dans la lubricité, a fait naître ce parti extrémiste avec ce Dupire d'une droite nauséabonde. Volontiers, hier, on encensait certains marginaux dépravés et, aujourd'hui, le 28 août, on peut lire en manchettes: «Dix nouvelles prisons vont s'installer en un temps record dans des usines désaffectées.» On entend à la radio, le nouveau ministre de l'Éducation: «Pour s'instruire, il faut le mériter et payer; toutes les écoles, bientôt, seront privées.» Plein d'innocents qui applaudissent à ce drôle de *nouveau* progrès. Qui est vieux. À la télé hier soir, le ministre de la Sécurité publique n'a pas craint d'avancer: «Nous allons clôturer le mont Royal. Il sera ouvert au public de huit heures du matin avec couvre-feu à dix-huit heures le soir et il y aura un coût d'entrée.» Voilà l'ouvrage du révolutionnaire colonel Bédard, d'Eddy Proulx et des miliciens aux cheveux courts avec plein de bourgeois frileux qui applaudissent.

Léo et Maria, d'instinct, ont bien besoin d'aller voir à l'étranger si l'amour est viable. Peut-on les comprendre?

Des municipalités, comme Westmount, Outremont ou Ville Mont-Royal, s'installent de hautes clôtures avec des guérites, des portières s'ouvrant quand on est muni d'une certaine carte à puce.

On a eu tellement peur, pas vrai? On veut la paix pour l'éternité. Plein de braves bourgeois qui se font installer d'ultra-sophistiqués systèmes d'alarme dans leurs logis. On ne sait jamais, ces riches banlieues clôturées ne seront peut-être pas d'une sécurité maximale. Chacun sa prison? À Saint-Lambert comme à Boisbriand, à

Sainte-Julie comme à Blainville, on ne veut plus jamais la terreur, on ajoute mais en chuchotant: «Plus jamais de ces voyous, de ces quêteurs agressifs, de ces itinérants dégoûtants, de ces aliénés légers inquiétants.» Ouste, les malchanceux du sort! Allez crever loin des demi-civilisés!

Peut-on comprendre que Léo ait eu envie de dire oui à cette offre de Budapest pour y poursuivre ses recherches? Il n'a pas eu envie de dire *oui* à une délégation venue le solliciter, vu sa popularité, pour un parti tout neuf, nommé D.N. pour Démocratie nouvelle. Cette fois, une véritable alliance, avec des jeunes gens lucides et des aînés, antipodes clairvoyants, qui souhaitent mettre des freins à cette formation politique malodorante. Un magazine nouveau, *L'ordre*, publie fièrement que l'A.N. de Dupire a reçu des appuis et des fonds de l'Opus Dei, du F.N. de Le Pen, aussi de l'organisation mondiale dite des «Légionnaires du Christ». Seule ombre au tableau triomphaliste de Dupire et de ses ouailles: «Des terroristes gauchistes, venus des États-Unis, ceux du MDAFT, affirment qu'ils poseront des bombes dans les officines du nouveau gouvernement, dans la vieille capitale comme dans la métropole québécoise», voilà ce qu'imprime la revue *Le Nouveau Conservateur*. Non, il n'y a pas que Léo et Maria pour songer à l'exil. Cependant, la grande masse de l'électorat – un sondage le proclame – manifeste une «satisfaction totale» face à ce nouveau régime. L'homme estime-t-il tant l'ordre? La sécurité à n'importe quel prix?

En ce moment même, il est quinze heures, ce 28 août, on peut aller observer un peu partout des travailleurs empressés qui posent des barrières à péage. Par exemple, aux extrémités ouest et est des rues Laurier, Fairmount, Saint-Viateur, Van Horne, à Outremont. Hautes clôtures métalliques, de type Frost, peintes vert feuille pour le bon coup d'œil. Elles entourent peu à peu la petite ville qui sera un domaine fermé. Un ghetto doré. Un territoire réservé, du mont Royal au sud jusqu'aux rails de l'avenue Beaumont au nord, de la rue Hutchison à l'est, jusqu'à Côte-des-Neiges à l'ouest. Immense quadrilatère pour bourgeois nerveux. Il en ira ainsi, je l'ai dit, pour des quartiers entiers et pour d'autres cités cossues. Que les autres pataugent dans les risques et les dangers des populaces insignifiantes, hordes de non-instruits incapables d'apprécier l'ordre et la loi.

Sortant d'où il sort, oui, on peut comprendre les refus de Léo de participer à ce D.N. naissant. Combien faudra-t-il d'abus, de lois iniques, de dédain manifeste pour qu'enfin, un jour, triomphe ce jeune mouvement? Contre les ennemis de la solidarité? Contre ces sans-cœur impuissants en compassion? Léo est pressé d'avoir un peu de bonheur après ce qu'il vient de vivre; il veut vite entamer ses amours nouvelles. Maria aussi, qui éprouve pour cet homme des sentiments d'une force inimaginable, un amour fou dont elle ne se croyait pas capable il n'y a pas si longtemps.

C'est beau un couple d'amoureux quand ils tremblent de désir. Maria tremble. Elle a hâte. Et elle a peur aussi. Est-ce qu'une femme amoureuse craint toujours? Si cela allait mal se passer, mal tourner? Comment être parfaite? Comment ne pas décevoir? Léo n'exige rien pourtant. Alors, il la prend dans ses bras, la soulève, rit. Elle le presse contre elle, l'embrasse partout, et elle rit aussi, l'embrasse sur les yeux, sur le nez. Sur la bouche, très fort. Les cœurs battent à l'unisson. Léo est si heureux. Voilà que le soir a fait sa première montée dans des violets rougis partout au-dessus de Verdun. Un homme redevenu un homme marche vers la chambre en tenant contre lui ce qu'il a de plus précieux au monde, fardeau aérien, une belle aux yeux très doux qui lui a sauvé la vie, sa méchante vie d'enterré vivant, un matin de mai dans un sentier derrière son trou. Une fille absolument déraisonnable puisqu'elle ne crie pas quand il lui montre son écœurant visage, puisqu'elle ne s'enfuit pas quand elle voit l'immonde incarné.

Il est redevenu bien simplement un homme. Son ami. Son amour. Il l'a déposée dans le lit tout neuf de cette chambrette de l'avenue Rielle qu'une pleine lune éclaire faiblement. Maria lui dit d'éteindre la lampe, elle lui sourit et puis c'est la nuit! C'est aussi les ombres remuantes des nuages dans le ciel au-dessus de Verdun. Léo descend le store, fait coulisser les tentures.

– Maria, faut se mettre à l'abri, être vraiment seuls au monde, pas vrai?

– J'ai rêvé si souvent, Léo, à ce qu'on va faire maintenant.

– J'ai peur Maria!

Quoi, se dit-elle, lui aussi? L'homme a peur lui aussi? L'homme, lui aussi, craint de ne pas être à la hauteur d'un rêve? De son propre désir? Lui aussi? Maria, nue maintenant, couchée, lui ouvre les bras dans la noirceur. Elle est aveugle. Lui aussi. Mais la nuit de cette chambre est aveuglante d'une lumière inconnue, si chaude. Ils vont s'aimer. Ils vont s'étreindre. Ils vont s'unir enfin.

* * *

La vie n'est pas un roman-feuilleton, se dit un innocent déboussolé. Il faut en finir. C'est à peine l'aube. Il faut bien en finir, se dit cet esprit simple, ce pauvre type, plus seul que jamais, ce malheureux Rosaire Lalonde. Il sort de son nouvel abri, il a pu encore se trouver un job de concierge, cette fois chez les sœurs missionnaires de l'Immaculée-Conception, à côté de la place du Vézinet, pas bien loin, avenue McCulloch. Il est revenu dans son décor familier. Il s'en va vers l'ouest, dans le petit matin d'un 29 août. Il avance avenue Roskilde allant vers Duchastel, Pagnuelo, il longe le pavillon Marie-Victorin. Il a vu, au sud, loin, le grand parc Beaubien et son jet d'eau qui fuse. Il marche vers Édouard-Montpetit, vers l'université. Il a des clés. L'efféminé Dastous lui avait fait faire des copies de son trousseau. Oui, André Dastous, le seul des mousquetaires nocturnes qui l'aimait bien. Souvent, Rosaire l'accompagnait dans ses promenades avec ses chers animaux. Rosaire connaît le chemin. Il sait où se rendre d'abord pour revoir les petites bêtes condamnées des laboratoires, les protégés de Dastous, animaux sacrifiés. Rosaire, lui aussi, n'a jamais aimé ça tous ces petits martyrs à quatre pattes. Il était heureux quand Dastous lui offrait de l'accompagner la nuit. Ce matin, il a osé avoir une idée. C'est qu'il est désespéré. Il a pris un couteau, un poignard, très coupant, cadeau du colonel Bédard, très bien aiguisé. Il le palpe. Si on tente de l'arrêter, dans un couloir de l'université, il s'en servira. Mais il n'y voit personne. Pas un seul gardien ni concierge. Il ouvre une porte, arpente un corridor, ouvre une autre porte, grimpe un petit escalier, en descend un plus long. Rosaire ouvre une dernière porte et il les voit. Enfin! Les singes de Dastous, les jolis petits singes innocents. Rosaire en est tout ému. Ses yeux se perlent, il a un si grand cœur le bon Rosaire qui avait conservé la drôle de laisse collective confectionnée par Dastous. Il la déploie pour y attacher quelques singes. Il reviendra promener les autres, plus tard. Il est fou? Non, il est pur et c'est un innocent, Rosaire.

Dehors de nouveau, il se souvient du chemin à prendre. Le soleil n'est pas bien loin sous la barre du jour s'apprêtant à sauter sur Montréal. Le visage de Rosaire en est illuminé, rubescent. Il reconnaît tout le stationnement du sud, vide à cette heure indue, et puis la petite porte rouillée dans la clôture, frontière du cimetière à proximité. Il fonce avec ses joyeux singes en laisse. Il aperçoit, comme dans le temps, le grand monument mortuaire marqué Guérin, juste en face de la portière. Il court pour faire courir ses singes. Il court vers l'est, vers la réplique de la grotte de Lourdes et ses cinq chapelles mortuaires. Partout la lumière de l'aube allume, une à une, les pierres des centaines et des centaines de tombes du cimetière de la Côte-des-Neiges.

Les petits singes rhésus s'affolent quand Rosaire tente soudain de les retenir, de les ramener à lui. Il se penche pour les libérer. Le couteau coupe toutes les guides de l'attelage. Qu'ils aillent en liberté, pauvres condamnés à mort! Les singes se dispersent, heureux, fous, grimpant sur les pierres tombales, roses, grises, noires, bien polies.

Maintenant, le matin fonce et le soleil montre des dards de lumière doré. Ce sera un 29 août de toute beauté, c'est certain. Rosaire examine la lame acérée de son beau poignard de l'armée, venu de la caserne du colonel. Il frotte son couteau sur sa gorge. En finir; c'est qu'il se sent vraiment seul désormais dans toute cette histoire. Il a envie d'aller retrouver Gilles Bédard, Dastous, puisque Léo Longpré, il l'a dit aux journalistes, s'en va au bout du monde, en Hongrie avec sa belle Maria. Pauvre Rosaire, on a donné l'alerte et il ne le sait pas. Il ne voit rien, ne devine pas ce qui se trame pas loin. Ils sont six policiers entraînés. Leur chef, en civil, a des ordres. Vaudrait mieux en finir avec cette histoire des miliciens, c'est un témoin de trop. Naïf, mais de trop. Sait-on jamais. Ça jacasse les candides. L'Alliance nouvelle sait bien sur quoi elle est installée. Des meurtres. Ce serait prudent d'effacer ce vestige, le dernier, Léo s'exilant. Les policiers rampent derrière les tombeaux.

– Ne tirez pas, leur a dit leur chef. Il a un couteau. Pratique pour faire croire à un suicide, pour le tuer. Ça sera plus simple encore.

Rosaire observe que les singes sont de couleurs variées. Il n'avait pas remarqué ça puisque la nuit, tous les singes sont gris.

IMPRIMERIE QUEBECOR
L'ÉCLAIREUR